QUAND T'ÉDUQUES,
ÉDUQUE.

Du même auteur

Papa par-ci, papa par-là, Éditions de La Bagnole, 2012.
Papa pure laine, Éditions de La Bagnole, 2010.
Papa 24/7, Éditions de La Bagnole, 2008.

Martin Larocque

QUAND T'ÉDUQUES, ÉDUQUE.

Réflexions parentales pratiques

TRÉCARRÉ

Catalogage avant publication de Bibliothèque et Archives nationales du Québec et Bibliothèque et Archives Canada

Titre: Quand t'éduques, éduque : réflexions parentales pratiques / Martin Larocque.
Autres titres: Quand tu éduques, éduque
Noms: Larocque, Martin, 1969- auteur.
Identifiants: Canadiana 20189431350 | ISBN 9782895687221
Vedettes-matière: RVM: Parents et enfants. | RVM: Rôle parental.
Classification: LCC HQ755.8 L37 2019 | CDD 306.874—dc23

Édition: Nadine Lauzon
Révision et correction: Sophie Sainte-Marie et Karen Dorion-Coupal
Couverture et mise en pages: Clémence Beaudoin
Photo de l'auteur: Julien Faugère
Illustration de la couverture: Sabrina Gendron

Remerciements
Nous remercions la Société de développement des entreprises culturelles du Québec (SODEC) du soutien accordé à notre programme de publication.
Gouvernement du Québec – Programme de crédit d'impôt pour l'édition de livres – gestion SODEC.

Financé par le
gouvernement
du Canada | **Canadä**

Les Éditions du Trécarré
Groupe Librex inc.
Une société de Québecor Média
4545, rue Frontenac
3ᵉ étage
Montréal H2H 2R7
Tél.: 514 849-5259
www.edtrecarre.com

Dépôt légal – Bibliothèque et Archives nationales du Québec et Bibliothèque et Archives Canada, 2019

ISBN: 978-2-89568-722-1

Distribution au Canada
Messageries ADP inc.
2315, rue de la Province
Longueuil (Québec) J4G 1G4
Tél.: 450 640-1234
Sans frais: 1 800 771-3022
www.messageries-adp.com

Diffusion hors Canada
Interforum
Immeuble Paryseine
3, allée de la Seine
F-94854 Ivry-sur-Seine Cedex
Tél.: 33 (0)1 49 59 10 10
www.interforum.fr

SOMMAIRE

Le premier devoir des parents
est de bien éduquer leurs enfants.

(Proverbe latin qui date du premier siècle
avant Jésus-Christ! C'est ben pour dire!)

Si ce n'était pas de vous trois...
je serais riche!

Et malheureux...

INTRODUCTION

J'ai neuf ans et j'observe les adultes autour de moi. J'habite à Radisson. J'écoute les parents dans les réunions d'école, dans les soupers, dans les fêtes de quartier et ce que j'entends me rend triste. Des adultes-parents qui n'ont jamais quelque chose de positif et de joyeux à dire sur les enfants. À la question «Comment vont vos enfants?», il y avait toujours un immense soupir collectif de découragement juste avant la réponse qui se terminera presque toujours par un «C'est pas facile!».

Jamais je n'entendais quelque chose d'heureux ou d'exalté, de joyeux et de souriant. Je sais aujourd'hui que ces moments de défoulement devaient être nécessaires pour la santé mentale des parents de l'époque. Mais je n'ai jamais vraiment cessé d'observer et d'écouter les parents, et j'entendais rarement des propos heureux et confiants. Je sentais plutôt une forme d'abandon. Un découragement qui avait la même couleur que le découragement d'un décrocheur. Alors, j'ai décidé du haut de ma presque première décennie que, si un jour je devenais parent, je ne voudrais pas avoir cette attitude pessimiste. Je voulais être un papa fier, heureux, joyeux, confiant et avoir beaucoup de plaisir à éduquer mes minimoi!

Ce livre représente donc plus de vingt-cinq ans de recherches et de lecture, d'observations et de notes, de questions et de discussions, de conférences et d'écriture.

Jamais je n'aurai la prétention d'avoir écrit un guide ni un manuel. Vous avez entre les mains un recueil de réflexions. Juste des réflexions. Mes réflexions et quelques emprunts.

Je n'ai pas besoin de vous dire combien, de tous les métiers que j'ai faits dans la vie, celui de m'adresser aux parents est de loin mon préféré. J'ai une admiration sans bornes pour les parents. Et la plus belle de mes conclusions de recherches serait celle de prouver que tous les parents sont bons. J'y arrive tranquillement.

Attention! Ce n'est pas parce qu'on peut être parent qu'on doit être parent. Ce livre s'adresse à ceux qui veulent et peuvent être parents. Et évidemment à ceux qui le sont et qui, comme moi, continuent de se questionner.

Vous comprenez bien qu'il n'y a rien de plus singulier qu'être parent. Nous sommes tous des modèles uniques qui s'inspirent les uns des autres. Voilà pourquoi mon livre est une collection de réflexions venant de vous et d'eux, de moi et de lui. Des idées à développer selon vos goûts et vos désirs. Des suggestions, juste des suggestions! Loin de moi l'idée de vous dire quoi faire (car si vous le faites avec moi, vous allez me tomber sur les nerfs). Je sais que nous vivons dans un univers assez stressant qui nous laisse l'impression que nous n'avons plus le temps de faire quoi que ce soit (et c'est vraiment juste une impression). Je sais que nous vivons aussi à une époque où les professionnels de l'éducation de tout acabit ont réussi pour la plupart à nous laisser croire que sans eux nous ne savons rien à propos de notre parentalité et que nous n'y arriverons pas sans eux et leurs trucs prouvés en laboratoire! Je fuis ces pensées.

D'abord, dire quoi faire à quelqu'un donne des résultats éphémères. Laisser libre cours à la créativité personnelle donne des résultats à long terme! Je veux vous redonner, amis parents, la confiance dans votre rôle. Et j'ajouterai même que **vous êtes plus forts que vous ne le pensez**. Ne doutez pas de vous, les parents. *Go!* Votre rôle le demande, alors plongez avec joie et confiance. Puis tentez plein de choses! N'ayez pas peur! Ne décidez pas à moitié! Soyez fiers de ce que vous êtes et de ce que vous décidez. Vos enfants s'inspireront de ces sentiments de force, de confiance et de plaisir! Ce métier demande une chose claire: «Quand t'éduques, éduque!» Votre enfant attend après vous! Rien de moins et personne d'autre.

avoir les yeux dessus. Il faut prendre le temps d'être là et regarder, écouter et faire acte d'humilité. Il ne faut pas avoir peur.

Regarder nos enfants est autant une source de plaisir que de stress. Parce que, parfois, ça appelle à agir lorsque nous constatons qu'il y a une faille dans le système. Dans notre système éducatif. Notre éducation. Il y a souvent une peur de ne pas avoir l'énergie d'intervenir, parce que, oui, ça demande beaucoup d'énergie, intervenir. Il faut d'abord se lever du fauteuil, puis expliquer, puis faire face à l'opposition de nos minimoi. ÇA, c'est épuisant. Ça exige même des notions que nous n'avons pas sur le coup, enfin, que nous croyons que nous n'avons pas. **Nous sommes tellement dans notre inquiétude et notre culpabilité que nous enterrons notre confiance et notre instinct.** «Écouter sa petite voix» n'est-il pas le conseil le plus prodigué dans le monde de l'éducation? Il y a des milliers de livres sur l'éducation qui nous donnent le chemin à suivre, la formule, l'intervention gagnante, le sacro-saint truc. Mais tous ces livres ne connaissent *rien* de qui vous êtes. Et ça, c'est un gros malentendu! Un malentendu qui dure depuis trop longtemps et qui a laissé l'impression aux parents qu'ils n'y arriveraient pas sans aide professionnelle! C'est faux, archifaux! On n'y arrivera pas exactement comme dans un livre, ou comme la super madame à la télé... mais on va y arriver différemment. Ça, c'est certain!

célébrer toutes leurs conneries. Que les moindres sons qui sortent de leurs corps méritent un diplôme et un *nanane*. Mais je parle d'une forme d'acceptation de qui ils sont et de ce qu'ils sont. Non? L'onde laisse présager que, si nous ne cherchons pas dans les grands grimoires de l'éducation et que nous n'appliquons pas à la lettre la technique de tel docteur ou de tel psychologue, nous passerons à côté de quelque chose et nous gâcherons une vie entière, et notre enfant ne pourra jamais accéder à la prochaine étape, c'est-à-dire être un adulte correct. Oui, j'ai bien dit «correct». Pas parfait. Pas ultra-performant. Pas superman. Correct. Un adulte avec des rêves, capable de prendre soin de lui et de ses proches. Capable d'aimer. Un adulte consciencieux avec des valeurs politiques, religieuses et sociales. Et attention, lorsque je dis «correct», je ne parle pas de niveler par le bas. D'enlever tout désir de surpassement. Je suis irrité par l'impression qu'il n'y a qu'une façon d'être heureux, et c'est malheureusement une pensée qui se promène un peu trop librement.

Julie Lythcott-Haims, une auteure américaine qui s'intéresse à la parentalité, déclare haut et fort que les enfants sont des fleurs sauvages d'une espèce inconnue. Nous, les parents, fournissons l'eau, l'engrais et le soleil. Puis il faut attendre. Et non, pas besoin d'un doctorat de l'université Yale pour comprendre cela. Ça prend des parents qui regardent, présents, et qui de bonne foi disent oui ou non aux multiples demandes des enfants sans avoir eux-mêmes un MBA en «parents parfaits comme à la télé»!

LE BONHEUR N'EST PAS UN CONCEPT *ONE SIZE FITS ALL* !

LA bonne façon de trouver le bonheur vient surtout du fait que beaucoup de personnes écrivent, racontent, bloguent et donnent des conférences (*sic!*) sur le sujet. Donc si tant de gens veulent à ce point passer de l'info, c'est peut-être qu'ils ont compris quelque chose. Malheureusement, jamais on ne dira que ces communicateurs ne font que réfléchir à voix haute, et pourtant, c'est ce que font la majorité d'entre eux. Que leur expérience n'est que leur expérience. On ne fait pas de son expérience une vérité. On partage une idée.

Je sais que les mots des autres peuvent consoler, rassurer, aligner, mais ce ne sont pas des techniques sans faille. Peut-être qu'un truc partagé au hasard vous sera utile, mais un truc n'est pas toute votre parentalité. Peut-être qu'une technique de tel livre vous sera utile et fonctionnera, mais **la constance parentale n'existe pas et, demain, vous n'aurez peut-être pas l'énergie de faire comme dit le monsieur dans le livre… et c'est correct. Vous n'avez pas à vous sentir coupable.**

Oh oui! J'en ai testé, des techniques enseignées dans les ouvrages. Vous savez, ces livres cultes? LE livre recommandé par le gars à la télé, le libraire, la voisine pas d'enfant-qui-a-du-temps-pour-lire, le curé, les pompiers? LE livre que *touououout* le monde a lu, sauf vous? J'ai appliqué les notions à la lettre comme une recette de gâteau Reine Élisabeth. Et oui, ça fonctionnait. Tel quel. Vraiment surprenant! Mais force est de constater que nous ne sommes pas le monsieur dans le livre et que, non, nous n'avons pas passé une vie à travailler une seule chose, et que, oui, nous avons plusieurs autres dossiers à régler. Ah, cette foutue constance parentale!

Après vingt-quatre ans de conférences, encore et toujours, je change de point de vue, d'idée et de vision selon mes rencontres avec d'autres parents. Oui, je peux défendre bec et ongles ce que je crois. Mais ça, c'est juste moi, juste à ce moment-là. Point.

Ma pensée change avec les enfants qui changent, de même que les amours qui changent, les amis qui changent, le travail qui change. Non, il n'y en a pas, de constance, dans la vie.

Oh! Il y a toute une bande de «crisse, chu ben d'même, c'est ça qui est ça, pis ça vâ touhours êt'e de même!», mais je ne m'adresse pas à eux aujourd'hui! On les salue!

LA CONSTANCE

Je sais que la constance est pour bien des gens une règle d'or. C'est la première chose que mon père m'a dite de la paternité : il faut de la constance. J'ai bien écouté, car j'aime mon papa. Mais j'ai vite compris que la paternité de l'un n'est pas celle de l'autre. Oui, il y a des *patterns* communs à tous dans l'éducation des enfants, mais c'est si anecdotique. La façon de la vivre est si différente. Alors notre constance avec les règles de la maison, les façons de réagir, les activités, les humeurs, les tâches, les discussions familiales, etc., tout ça est totalement singulier et change d'une maison à l'autre. On ne se chicane pas pareil. On ne s'aime pas pareil. On ne mange pas pareil. On ne se lave pas pareil. Et tout le «etc.» pas pareil... Pis y a pas un livre qui va nous l'enseigner!

La constance est un mouvement régulier dans l'éducation. Une façon répétitive (oui, les enfants aiment ça) de faire les choses à la maison. Combien de fois on nous a dit que les petits enfants aiment la routine? Je l'ai constaté, et c'était vrai dans mon cas... mais quasi impossible à tenir vingt-quatre heures sur vingt-quatre, sept jours sur sept. Nos vies d'aujourd'hui sont en mouvement constant. Rien d'acquis. Rien de fixe. Rien de certain et notre nouvelle vie parentale non routinière nous propose de nouveaux défis quotidiens à relever. À chaque famille ses solutions. Et si ces solutions vous conviennent, vous arrangent, elles sont bonnes! Point.

Puis il faut faire confiance aux enfants aussi. Ils sont intelligents (ils sont vos enfants, non?) et ils savent vite s'adapter à VOTRE constance, même si elle est inconstante. **Ce n'est pas l'horaire chez vous qui les bouleversera ou les rassurera, mais bien de quelle façon vous vivez avec.** Si cela vous stresse, ils seront stressés. Si cela vous convient, cela leur conviendra. Point. Ils vous épient dans les moindres détails de vos vies actives. Alors, si vous installez un système que vous aimez... ils l'aimeront. Votre constance sera leur constance.

curieux qui annonce une belle discussion éducative avec l'enfant qui nous dirait: «Humm, voilà qui est intéressant, père, comme réponse négative. Pourriez-vous prendre quelques instants de plus, si cela ne vous dérange pas, pour m'expliquer davantage vos arguments d'un refus, ma foi, quelque peu surprenant, étant donné que je suis la chair de votre chair et le sang de votre sang, et que ce refus ne me laisse paraître aucun de ces remords que la plupart des parents de votre génération, Ô père, vivent et qui nous permettent normalement d'avoir tout ce que nous voulons, même l'inutile?»

Eh non... ça ne sonnera pas comme ça. Ça va sonner plutôt comme un pourquoi long et languissant avec une attitude de *WTF*. Et je suis presque certain que les autres parents vivant dans les dix kilomètres carrés autour de vous seront cités comme des exemples parfaits de parents qui, eux, ont dit oui! Et de plus, y a pas un parent dans ces mêmes dix kilomètres carrés qui vous viendra à ce moment-là en aide. Oh non! Vous êtes seul au combat! Mais le plus grave problème n'est pas de dire non, mais de dire non sans la culpabilité sociale. Sans l'étrange impression que vous serez jugé. Que, si les autres parents des dix kilomètres carrés savent que j'ai dit le contraire de leur oui collectif, je serai jugé sévèrement, comme un mauvais parent! Oh là là... Où est notre belle et grande confiance parentale lorsque nous en avons besoin?

Eh bien, un peu comme un gazon jaune en dormance pendant un juillet chaud, la confiance parentale est là, à portée de cœur. Elle n'attend que vous. Il suffit d'arroser un peu le gazon et, hop... le vert revient! Commencez par vous dire que vous avez confiance en vous (même si ce n'est pas vraiment vrai) et, tranquillement, vous aurez confiance dans vos compétences parentales. Il y a une belle expression anglophone qui dit: *Fake it t'ill you feel it.*

J'ai toujours cru que dire non, pour les bonnes raisons et au bon moment, est la plus grande marque d'amour et de confiance que nous pouvons témoigner à nos enfants. **Le non dit à l'enfant: «J'ai tellement confiance en toi que je sais que tu trouveras une autre option.»** Bien sûr, il fera son devoir d'enfant – tenter de vous faire sentir coupable –, mais n'oublions pas que le non agit à long terme. Je sais que ce n'est pas l'argument du siècle lorsque la fatigue, le stress et le *tutti quanti* de soucis quotidiens nous assaillent, nous les parents, mais c'est ça, le travail d'un père et d'une mère: voir à long terme et maintenir nos valeurs même si parfois à l'intérieur de nous c'est un peu beaucoup fragile. Parce qu'il est clair que l'enfant se cherche, et une belle façon de se chercher, inconsciemment peut-être, est de demander. Demander des bébelles, des permissions, des sorties, des cadeaux, des réponses. De voir jusqu'où il peut aller. De sentir où est la clôture de son enclos. Les limites familiales. Ses limites d'enfant-qui-n'a-pas-le-pouvoir-de-décider. Il émettra des désirs de toutes sortes; à vous de trier.

De plus, un enfant qui exprime un désir (au centre commercial, en regardant la télé ou en revenant de chez un ami qui a la bébelle que vous n'avez pas) ne veut pas nécessairement que son désir soit comblé. Il réagit de la façon la plus expressive possible à quelque chose qui le rend heureux dans son imaginaire, là, ici, maintenant. Mais ce désir n'a pas besoin d'être comblé dans la minute. C'est un désir qui veut être reconnu comme désir. Plutôt que de se braquer et de se mettre dans la position de celui qui refusera encore, faites-le parler sur ce désir, cette bébelle, cet instrument. Et si la demande officielle vient dans la discussion (et ça viendra) – «Veux-tu me l'acheter?» –, répondez honnêtement que non, mais que vous trouvez, vous aussi, que c'est une bonne idée! Cependant, si votre enfant vous en reparle, et si le désir dure longtemps et revient souvent, ça devient un indice qu'il y a là un territoire à explorer quant à ses passions! Mais laissez passer du temps... Disons jusqu'à son mariage!

ILS NOUS REGARDENT

Savez-vous à quel point vous êtes observé? Scruté? Épié? Les enfants, et si vous en avez vous l'aurez vite compris, n'en ont rien à cirer de nos morales et de nos beaux discours sur la vie! Ils écoutent d'une oreille et vont faire ensuite à leur tête. Comme nous l'avons fait! Je ne dis pas qu'ils se moquent de nous, qu'ils n'ont aucun respect pour qui nous sommes, bien sûr que non, mais le vrai apprentissage se passe en nous. Nos enfants nous regardent sans le savoir vraiment. Ils nous regardent manger, aimer, parler, nous fâcher, réfléchir, chialer sur notre travail et la vie, rire, nous amuser, et vont sûrement, inconsciemment, du moins dans les premières années de leur vie, tenter de reproduire tout cela. Ou de s'y opposer. C'est bien dans les deux cas. Ils apprennent. Mais les longs et pénibles «Vous savez, la vie, les enfants...», je crois qu'ils s'en balancent un peu.

Je m'en souviens, je réunissais mes garçons pour leur raconter «la vie selon papa»! Je me rappelle clairement leur désintérêt profond, même si j'avais bien pris le temps de préparer mon discours pour les inspirer avec mes grandes paroles sages. Comme dirait l'autre: «Je me su farmé la trappe assez vite!» Je m'en souviens, je terminais mon beau grand discours sur la vie, où moi seulement étais ému, et après cette demi-heure, voire ces trois quarts d'heure de maudites belles phrases, mes enfants me regardaient avec des yeux pleins d'emmerdes et me demandaient: «C'tu fini, là? On peut-tu s'en aller?» Et moi, trop ému, je leur donnais la permission de partir, certain que j'avais transformé leurs vies entières. Que le bonheur zen familial était enfin arrivé pour de bon! Je vous écris cela et je souris encore de voir à quel point j'étais, comme disent les Américains, *full of me*! Ça m'aura pris quelques années (!) pour comprendre que mon travail est plus celui du *coach* que du schtroumpf à lunettes! Le *coach* exige et ordonne, encourage, inspire. Le schtroumpf à lunettes emmerde!

La preuve qu'ils nous copient? Un jour, mon plus vieux laisse sa première blonde. Ce qui, et il ne fallait pas le dire à ce moment, était une bonne nouvelle pour moi – oh, qu'elle me tapait sur le système, cette fille! –, mais bon, mon fils l'aimait et c'est tout ce qu'il fallait pour que je l'accepte. Mais le jour de l'annonce de sa rupture, je tente de ne pas trop me réjouir ni de sortir le champagne trop rapidement. J'écoute ce qu'il a à dire sur sa rupture et il me raconte comment il a fait. C'était, ma foi, une belle façon de quitter quelqu'un. Beaucoup de respect. De bien beaux mots. Rien qui ne laissait transparaître une crise, de l'immaturité et de la violence de sa part. J'étais on ne peut plus fier de lui. Je me suis empressé de le raconter à mon ex, leur maman, et elle, de me rappeler, sourire en coin, que nous avons procédé de la même façon lorsque nous avons divorcé! C'est ben pour dire! P'tit Mosus... il m'a copié!

EXIGER DES ENFANTS

Il y a une peur généralisée chez nous, parents, celle de forcer nos enfants à faire quelque chose dans la maison. Une peur d'imposer contre leur gré une action à entreprendre ou une règle à respecter. Prenons par exemple... les sacro-saintes tâches, le petit quotidien, comme j'aime l'appeler. J'ai longtemps refusé de trop exiger de mes enfants pour qu'ils profitent de leur jeunesse. Pour que ce temps qui leur est alloué en soit un de créativité et de découverte plutôt qu'un lourd moment de combat parent-enfant sur les tâches ménagères que, finalement, je peux faire moi-même. J'étais sûr que je rendais service à toute ma population familiale. Que je leur procurais une sorte de luxe qui permettrait à mes enfants de profiter et de jouir davantage de leur jeunesse et de la vie.

Ça m'a pris un certain temps pour comprendre que je ne leur rendais pas service en leur faisant croire que la vie n'est faite que de plaisir, et jamais de devoirs et de responsabilités. Cette réaction est une vision à court terme, c'est-à-dire de tenter de sauver l'ambiance ici et maintenant sans penser qu'exiger des enfants est très bon pour eux à long terme. **La vision à court terme dont les jeunes parents souffrent ne rend pas service à leurs enfants.** Car très vite, nous allons nous retrouver dans un combat encore plus grand qui est celui du rattrapage. Nous allons devoir rattraper, vers l'adolescence et après, tout le temps d'enseignement du petit quotidien et, par le fait même, laisser une mauvaise impression de la vie et du plaisir de tous les jours à nos descendants. Une vision à court terme est une vision de l'éducation qui ne sert que les parents.

Le petit quotidien s'exprime différemment d'une famille à l'autre. Moi, j'adore la routine du matin : faire les lits, ranger la maison, passer le balai, disposer chaque chose à sa place et même déjà préparer le dîner ou le souper. J'aime quand les enfants sortent de leur chambre et que celle-ci soit rangée. Je sais que ça s'arrête quelque part autour de l'adolescence, mais je me suis fait un devoir de leur enseigner ce qu'est entretenir et respecter leurs affaires. **Je n'enseigne pas à faire un lit, j'enseigne à être fier.** Moi, ça passe par la chambre. Il y a mille chemins pour installer le plaisir de l'effort chez nos enfants, et votre chemin est très bien. Si toutefois vous prenez le temps d'exiger un effort à vos enfants. Je vous le dis, sur le coup, ce n'est peut-être pas l'activité la plus ludique, mais, à long terme, c'est un investissement très rentable pour eux. Peut-être que mes enfants ne feront pas leur lit plus tard, une fois adultes, mais je suis convaincu qu'ils auront appris l'idée de prendre soin de leurs choses. Et je peux même constater que déjà je le perçois sur divers plans. Non, ils n'ont pas les mêmes priorités que moi (oui, au début, cette idée me dérangeait beaucoup, je me mordais les lèvres et tout ce qui se mord pour ne pas imposer ma routine personnelle, MES priorités), mais je suis fier (et un peu soulagé) de voir qu'ils en ont!

Il n'y a pas si longtemps, j'ai vu et entendu sur YouTube l'amiral William H. McRaven des Navy Seals des États-Unis qui parlait à des milliers de finissants de l'Université du Texas en disant: «Si vous voulez changer le monde, commencez par faire votre lit tous les matins, ainsi vous aurez déjà en vous levant un sentiment de devoir accompli et un beau sentiment de fierté. Et tous ces petits gestes qui vous donnent un sentiment de fierté vous porteront à faire de plus grandes choses. De plus, bien faire les petites choses vous préparera à bien faire les grandes choses...» (Je traduis librement ici.)

... Cassé!!!!!!!!

Va pour l'espace personnel. Mais il y a aussi ce que j'appelle les espaces publics dans la maison. Le salon, la cuisine, la salle de bain: là aussi, tout le monde doit mettre son grain de sel. Un jour, mon amie Marie me confie qu'elle a demandé à ses filles de ne rien laisser traîner de personnel dans les lieux publics. Oh, que j'ai aimé ça! C'est-à-dire ne pas laisser ses objets personnels tels que livres, ordi, vêtements, sacs et jouets dans les espaces partagés par toute la famille. Bien sûr, vous pouvez utiliser ces espaces pour vos activités personnelles. C'est chez vous, quand même! Mais vous ne pouvez pas, une fois l'activité terminée, laisser traîner vos affaires. Je sais, encore d'expérience, que lorsque je me faisais le gardien des lieux et que j'exigeais qu'ils rangent tout, tout de suite, j'avais droit à des phrases comme «Oui, mais je vais continuer tantôt» ou «J'ai pas fini, je vais finir plus tard». Et je sais très bien que «plus tard» arrive rarement! Allez, hop! On range en rapportant la chose dans sa chambre et ça prend moins de trente secondes... Une journée active comprend quarante-trois mille deux cents secondes... C'est pour dire ! On peut sembler être un dictateur... mais n'oubliez jamais qu'à long terme c'est payant !

ÇA PREND MOINS
DE TRENTE SECONDES

Il n'y a rien de plus beau pour moi que de voir un groupe de parents devant l'école, qui attendent la fin des classes pour revenir à la maison avec leur enfant. Cette image me touche chaque fois. Une belle façon de prendre du temps sur le temps pour la famille. Par contre, je fais des boutons entre les fesses lorsque je vois à la sortie des classes ces mêmes parents en quête d'une belle relation avec l'enfant devenir vite du simple personnel pour leur petit enfant au sang bleu. Les parents deviennent une sorte de patère. Sans réfléchir, ils prennent le sac, le manteau, la boîte à lunch et même (Dieu m'en garde) le vélo que leur tendent nonchalamment prince Bambin ou princesse Mini parce qu'il ou elle a décidé que ça ne lui tente pas de porter tout ça! Et le domestique suit les ordres. Oh, que ça m'irrite! Ça frôle l'histoire d'horreur, selon moi! *Primo*, nous ne sommes pas du personnel pour l'enfant. Je ne suis pas son major-dome. Mon titre est «papa», pas «papatère». Oh! Je vous entends, parents, me dire: «Oui, mais leur sac est tellement lourd, ils ont la journée dans le corps, je les *aiiiiime!*»

OK. Une chose à la fois.

Si le sac est lourd, c'est votre responsabilité de dire à l'école que ça n'a aucun bon sens et d'agir en ce sens. Il faut choisir un sac en fonction de l'enfant et non pas en fonction du cartable imposé par l'école. Point. Pensons à long terme, toujours! Vous avez, comme moi, lu les articles sur les maux de dos qui apparaissent chez les enfants à cause d'un mauvais choix de sac. Et si l'enfant avait un sac adapté à lui? Bingo! Il peut alors lui-même le porter et ainsi terminer son devoir d'élève ou d'enfant normal. Car même si sa journée a été longue, je vous rappelle que la vôtre aussi! Vous aussi, vous avez votre journée dans le corps. Et personne ne vous attendait à la sortie de votre travail pour porter votre boîte à lunch... Ce n'est pas un acte d'amour que de faire croire à l'enfant qu'il a du personnel. Ce n'est pas l'aider que de lui donner l'impression qu'aussitôt qu'un chouïa d'effort arrive il y aura toujours quelqu'un pour le délester de sa charge. N'oublions pas que nous travaillons ici à long terme. Peut-être que votre cœur de parent voudra dire: «Oh, il est si petit… Il veut s'amuser avec ses amis?» Dans ce cas, on dépose tout par terre, et qu'il aille jouer pendant que vous continuez de jaser avec d'autres parents sur les joies familiales. Lorsque le minimembre de la royauté aura terminé sa socialisation, il ou elle reprendra son équipement, et hop! vers la maison. Et j'ajouterai qu'une fois à la maison ce n'est pas à vous de ramasser ce que mini-*me-myself-and-I* aura tendance à jeter par terre, c'est-à-dire le même équipement qu'il a tenté de vous refiler en douce un peu plus tôt. Nenni! Il le rangera lui-même, et chaque chose à sa place s'il vous plaît!

Non, ce n'est pas de l'aimer que de le délester de ses tâches sous un couvert de pitié parentale. On se dit: «Oui, mais c'est plus facile et ça va plus vite.» Ce qui va vite est la capacité de l'enfant de comprendre qu'avec un minimum de manipulation il aura un minimum de travail à faire. Alors exigez qu'il fasse son travail jusqu'au bout. Accrocher un manteau, ça prend moins de dix secondes. Déposer la boîte à lunch sur le comptoir et la vider, ça prend moins de

JE SUIS CAPABLE

Je suis surpris de voir que nous nous codons, nous, les parents qui voulions des enfants avec ardeur, qui voulions les voir devenir d'importants personnages, qui voulions les voir devenir heureux et libres, qui voulions les voir devenir beaux, grands et sages... même parfois pas trop sages. Je suis surpris, mais surtout peiné de nous et de voir que, dans cette quête éducative, nous perdons notre «mojo» parental. Le «mojo» parental est ce qui fait de nous des pères ou des mères capables de prendre l'enfant et d'en faire un petit être confiant. Et comment on fait ça, monsieur Larocque, me demanderez-vous? Le jour où l'enfant – en général, il est très jeune – nous dit avec une conviction déconcertante: «Je suis capable tout seul!»

Je vous en supplie, CROYEZ-LE!

Il veut attacher ses souliers. Il gosse. Trop longtemps. On a le réflexe de dire: «Bouge pas, je vais te le faire.» Il nous repousse les mains en disant: «Chu capable tout seul!» Alors en tant que parent officiel, reculez de trois pas et prenez votre mal en patience. Car sa demande gagnera en ampleur et en confiance avec le temps. Il saura que, chaque fois qu'il veut faire quelque chose seul, il aura d'abord confiance en lui-même, puis il aura l'appui de son entourage ou vice et versa! Bingo! On implante le programme: si je fais un effort, j'y arrive.

De la même façon, question de compliquer notre travail, lorsqu'il pleurniche, braille ou chigne après deux secondes à tenter d'attacher ses souliers, adoptez le même comportement: reculez de six pas et laissez-le baigner dans ses larmes. Lorsqu'il verra qu'il est seul au combat, il n'aura pas le choix d'attacher ses cr... de souliers. Il le fera. Oui, il se couchera par terre avec l'attitude de «personne ne m'aime». Ou il les lancera peut-être sur le mur, indigné par votre décrochage parental. Ou il voudra renverser le gouvernement en place pour le remplacer par des gestionnaires plus compétents. Et lorsque petit prince ou miniprincesse verra qu'il ou elle doit mener le combat en solitaire et que non, il ou elle ne peut pas sortir en pieds de bas dehors à moins vingt degrés Celsius... il ou elle se chaussera. Oui, ça prendra peut-être une tonne de temps. Mais votre enfant le fera et croira en lui.

Parents, vous devez être des ninjas du silence et de la confiance. Ne bougez pas, ne compensez pas en disant: «Si tu le fais, je t'achèterai une surprise.» Ne faites rien. Des ninjas! Je parle ici, évidemment, d'enfants qui ont déjà attaché leurs souliers ou qu'ils l'ont déjà appris. Et les souliers ici sont une métaphore pour tout le reste de la vie de petit prince et de miniprincesse.

DES NINJAS, JE VOUS DIS

Notre impatience, notre stress, nos peurs et notre manque de confiance sont des facteurs qui polluent notre rôle d'éducateur. L'enfant apprend lentement et dans le plaisir. Non mais c'est vraiment chiant de constater ce fait! En vieillissant, on perd le sens du *fun* d'apprendre. Eux non! Ils ont la capacité de faire un jeu avec tout ce qu'ils ont à portée de main. J'en veux parfois à certaines institutions scolaires d'avoir troqué chez nos jeunes le plaisir au profit de la performance. Le plaisir apporte beaucoup plus sur les plans scolaire, social, professionnel et intime.

Alors lorsqu'ils sont en état d'apprentissage, il faut nous assurer, s'ils nous lancent des indices d'indépendance et de plaisir, de reculer de trois pas et de les laisser dans cet état d'apprentissage. Soyez des ninjas, mordez-vous les lèvres, les doigts et tout ce qui se mord pour ne pas briser ce cercle d'apprentissage qui fera de cet enfant l'être que vous souhaitez qu'il devienne. Pensez à long terme. Pas en termes de « Il faut que j'évite sa crise ». Croyez-moi, ce n'est pas facile, mon titre de maître ninja, je l'attends encore, mais disons que je peux donner les premiers ateliers !

Pratiquez l'immobilité, comme le fait le bonsaï (!). Soyez comme le crocodile qui ne bouge pas pendant des années pour laisser la proie s'approcher. Soyez invisible comme un ado lorsque c'est le moment de faire la vaisselle. Bref... ayez confiance ! C'est par votre silence et votre immobilité, mais avec un œil confiant sur eux, que vos enfants trouveront la voie, la solution, la réponse, le truc !

FAIRE SON TRAVAIL D'ÉDUCATEUR, DE PARENT, DE *COACH*

Faire son travail de parent veut dire sauter sur une bonne occasion d'enseigner à votre enfant des choses utiles au quotidien. Ces enseignements changent d'une famille à l'autre, et c'est très bien ainsi. L'important est ce que VOUS jugez utile pour VOUS à ce moment-là. Profitez d'une occasion précise qui demande une forme de *coaching* et allez-y. Faites-vous confiance.

Par exemple, j'estime nécessaire d'enseigner les tâches ménagères. Peu importe que l'enfant soit petit ou grand. Chaque groupe d'âge a son lot d'apprentissages et, oh, bonne nouvelle, ils peuvent faire des choses dans la maison, et beaucoup plus jeunes que vous ne le croyez. Saviez-vous que...

À deux ou trois ans, ils peuvent :

- ramasser leurs jouets;
- essuyer un dégât;
- épousseter;
- ramasser leur assiette après le repas;
- aider à ranger l'épicerie;
- sortir le recyclage;
- mettre le linge sale dans le panier;
- jeter les déchets dans la poubelle;
- plier les débarbouillettes.

De quatre à six ans, ils peuvent :

- faire leur lit;
- s'occuper des animaux;
- se faire des collations;
- mettre la table;
- arroser les plantes;
- jardiner (enlever les mauvaises herbes);
- essuyer la table de cuisine;
- peler les pommes de terre et les carottes;
- remplacer le rouleau de papier hygiénique.

De sept à neuf ans, ils peuvent :

- se lever seuls pour l'école avec un réveille-matin;
- faire leur lunch pour l'école;
- gérer un peu d'argent de poche;

- plier la lessive;
- cuisiner des plats simples (œuf brouillé, salade, biscuits);
- remplir et vider le lave-vaisselle;
- passer l'aspirateur et le balai.

À dix ou onze ans, ils peuvent :

- faire une brassée;
- couper le gazon;
- changer une ampoule;
- revisser une vis desserrée;
- commencer à avoir des jobines;
- planifier leur budget;
- laver l'auto;
- nettoyer la salle de bain.

À douze ans et plus, ils peuvent :

- peindre avec vous;
- préparer un repas complet;
- faire de menus travaux de réparation;
- laver des fenêtres;
- repasser des vêtements;
- garder des enfants.

Eh oui!
De rien. Ça me fait plaisir!

Oui, ils peuvent faire tout ça. Certains vont dire qu'ils sont trop jeunes, d'autres vont dire qu'il était temps. Je me suis basé simplement sur des dizaines de tableaux proposés sur des sites web s'adressant aux familles. Et aussi sur vous, les parents qui, à la fin de mes conférences, me racontez votre réalité, et un peu sur moi aussi! Alors?... Non, mais c'est-ti pas une bonne nouvelle, ça?

Pourquoi je m'acharne tant sur les tâches ménagères? Beaucoup de discussions avec la mère de mes garçons, sans doute. Elle constatait que nos garçons devenaient tranquillement des princes paresseux. Elle m'a poussé très fort, avec raison, à exiger plus. Et a même proposé l'idée de ne plus avoir de femme de ménage, ce petit luxe que j'offrais (que je m'offrais aussi) en pensant que ça délesterait notre milieu familial d'un poids. Ce n'était pas un service à rendre aux enfants. Ça m'a pris bien du temps à le comprendre. Et aujourd'hui, je constate les bienfaits d'avoir un tantinet exigé un peu plus de mes héritiers... Merci à la maman de mes fils! On la salue!

Mais là où j'ai encore plus allumé, c'est qu'un jour j'ai été mis au courant de la plus grande étude sur les humains, *The Harvard Grant Study*, qui a prouvé l'impact de deux faits majeurs dans l'éducation des enfants. D'abord, l'amour inconditionnel. C'est-à-dire aimer les enfants tels quels, et je dis bien « tels quels ». Pas pour ce que nous voulons d'eux, mais pour ce que nous pouvons faire pour les aider à devenir quelqu'un avec ce qu'ils sont déjà. Ce processus d'amour leur permet de s'aimer eux-mêmes et de s'accepter. Mais nous y reviendrons un peu plus tard dans ce livre, car l'autre fait capital de cette grande étude est l'importance de leur faire faire des tâches ménagères ! Et le mot est vraiment bien choisi : « l'importance » de leur faire faire des tâches à la maison.

Ces tâches leur prouveront ultimement qu'ils sont des êtres débrouillards et créatifs, et que plus tard ils ne seront jamais dépendants des autres pour savoir comment agir dans la vie. L'étude dit même que c'est un gage de succès professionnel pour ceux qui aiment ces arguments ! Mon oncle dirait : « Y est bon ! Y voit l'ouvrage qu'y faut faire ! » Voir ce qu'il y a à faire. Mettre la main à la pâte. Ne pas avoir peur de se relever les manches. Avoir la capacité de se poser la question : qu'est-ce que je pourrais faire pour aider maintenant ?

Il faut les amener à se poser ces questions pour qu'ils n'aient pas peur de l'effort. Faire faire des tâches aux jeunes est une immense marque de confiance. Confiance dans leur potentiel d'aller au bout de quelque chose qui ne leur servira peut-être pas toujours personnellement, mais qui rendra un grand service à tout l'entourage (au revoir l'égoïsme!). On fait quand même partie de la vie des autres! Ce qu'on appelle la société.

Qu'ils sortent un peu de leur nombril poussiéreux et qu'ils s'engagent dans cette société qui est la leur! Cette famille qui est la leur. Qu'ils se mettent de côté le temps d'aider. De soutenir. De contribuer. Combien d'études et surtout combien de parents ont prouvé qu'il y avait là une éducation puissante à long terme?

Maintenant, l'angle que vous utiliserez pour amener votre enfant à faire ces tâches vous appartient. Soyez créatif et surtout convaincant sur l'importance de votre demande. Ayez confiance, vous êtes le parent. Et si ça ne passe pas, obligez-le! Oui! Oui! C'est bien ce que j'ai dit. Obligez-le. Puis lorsque la tâche est terminée, faites-lui prendre conscience que son aide est importante pour vous et la famille. Faites-lui ressentir ce qu'est la fierté en étant fier vous-même; fier de son travail et surtout, fier de votre ténacité parentale! Oh oui, c'est toute une job de *coach*, être parent!

ARRÊTONS DE « MOUMOUNISER* »
LES ENFANTS...

Je me permettrai ici d'être un peu alarmiste. Nous avons cessé, et je ne sais pas pourquoi, d'exiger des choses de nos enfants. C'est un grave problème. Nous créons tranquillement une génération d'enfants qui vivent avec du personnel, des agents, des majordomes, des domestiques... et non des parents.

C'est un grand problème dans notre société, ce manque d'exigence envers les enfants. Pourquoi

---

* Note de l'auteur: Je tiens à dire que le terme «moumouniser» n'a pas de genre. Il veut, par sa nature, provoquer une réflexion intense sur un phénomène d'éducation plutôt que viser un groupe de personnes... Sachez-le! Voyons donc! Moi? Viser un groupe de personnes? Chu ben trop fin!

avons-nous de moins en moins la capacité de leur demander des tâches? Comment se fait-il que nous craignions d'exiger qu'ils prennent certaines responsabilités? De peur de perdre un lien d'affection avec eux? Parce que nous souhaitons une sorte de cote d'amour bâti (à tort) sur la bonne entente heureuse et sans accroc? Nous croyons (toujours à tort) qu'une bonne relation avec nos enfants doit être toujours positive, heureuse et sans effort. Qu'il est plus simple de regarder l'enfant évoluer dans son milieu et à son rythme naturel sans jamais avoir vraiment à intervenir, sinon pour répondre à ses besoins premiers.

Il est vraiment désolant de constater que l'hyperparentalité dont souffrent les enfants aujourd'hui est le fruit d'un manque de questionnement sur leurs besoins réels. De quoi ont-ils réellement besoin? Nous savons qu'ils ont besoin de temps, c'est d'ailleurs de cette façon qu'ils épellent le mot «amour»: t-e-m-p-s!

Mais ce temps qu'exige notre travail de parent, savons-nous vraiment à quelle hauteur d'implication il se situe? Sommes-nous prêts à investir tout celui que demande la création d'un adulte? Voulons-nous vraiment donner tout ce précieux temps que nous perdons pour notre propre développement personnel?

Investir dans un enfant comporte, selon bien des spécialistes, une part d'oubli de soi. Mettre de côté son petit nombril pour mettre de l'avant le parent en nous ne veut pas dire être juste un parent et seulement un parent. Mais trouver ce juste équilibre entre le travail de parent, les expériences que nos enfants doivent vivre et le reste de la vie! Trouver cet équilibre n'est pas un examen. Personne ne viendra vous noter. C'est un travail hyper personnel, mais qui demande effectivement un regard à long terme sur ces petites bêtes que nous avons mises au monde! Et ce regard doit en être un de confiance et d'encouragement. Ils ne font pas pitié.

Je vais plus loin que ça. Depuis 1979, je suis un scout. Jusqu'en 2017, j'ai animé chez les jeunes scouts de neuf à douze ans, les louveteaux. Même si nous ne faisons pas tant d'abris en branches et de feux de survie de nos jours, je crois profondément aux valeurs que le fondateur voulait inculquer aux jeunes partout dans le monde. Dans le kit du petit scout, il y a l'éternel couteau de poche qu'on recevait en cadeau, souvent de nos parents, avec les quelques recommandations d'usage et nécessaires. Dix belles minutes de règles et de savoir faire et aussi de savoir-être avec un tel objet. Après ces dix minutes, nous allions chercher des branches pour tester notre nouveau cadeau.

Bien sûr, il y avait un lot de coupures que nous nous infligions. Et c'était, aux yeux de tous, tout à fait normal!

Aujourd'hui, l'association qui gère les scouts dans mon secteur exige – afin que le jeune puisse avoir son couteau avec lui au camp – un atelier de huit heures sur son utilisation! Huit heures? Non mais, n'est-ce pas un bon indice de la façon dont nous voulons protéger les enfants d'eux-mêmes?

Voilà une preuve de l'immense manque de confiance que nous avons envers eux. Bien sûr, si un de mes scouts avait un comportement inacceptable avec le couteau, je le lui retirais. C'est tout. Mais sur les vingt-quatre jeunes avec qui j'étais, un seul avait besoin de dix autres minutes d'instructions.

J'ai commencé à animer à seize ans, et il n'est rien arrivé de grave durant toutes ces années. J'ai dû panser quelques dizaines de coupures... Normal! Lorsque mes enfants se sont mis à cuisiner avec moi, ils avaient peur de se couper ou de se brûler. Et c'est la seule promesse que je leur ai faite: vous allez tellement vous couper et vous brûler!

L'exemple du couteau est symptomatique pour moi. Je retrouve ces comportements de différentes façons aujourd'hui! J'ai dans mes notes des dizaines d'histoires de parents qui ont réalisé un jour qu'ils étaient devenus du personnel pour leurs enfants ou qu'ils avaient mis leurs aspirations à eux de côté par peur que leurs enfants échouent ou ne fassent pas ce qu'eux-mêmes considèrent comme la bonne chose. Laissons nos enfants se couper et se brûler.

Tiens, et si on se donnait une façon de faire en trois étapes?

1. On prodigue les enseignements qu'on considère comme nécessaires.
2. On laisse nos enfants faire leurs expériences (coupures et blessures incluses).
3. On panse les blessures du corps et du cœur en les laissant nous raconter ce qui s'est passé.

Fini la «moumounisation»!

L'AMOUR INCONDITIONNEL

Oh, que je me lance dans un sujet fragile ! Aimer son enfant. Il y a des milliards d'enfants et de parents, donc des milliards de façons d'aimer. Il y a les belles façons et les façons contestables. L'expression de l'amour n'est pas donnée à tous, et c'est un grand malheur pour beaucoup d'enfants, qui ne connaîtront jamais l'amour qui accepte tel quel (comme en couple).

L'amour inconditionnel est un sujet plus grand que le mal et le bien. L'auteure Julie Lythcott-Haims croit que trop de parents élèvent leurs enfants comme des bonsaïs. On les chouchoute pour qu'ils aient l'air – trop tôt – d'un résultat final et parfait. Comme je l'ai mentionné plus tôt, elle dit que les enfants sont des fleurs sauvages d'origines presque inconnues et que notre travail n'est pas de les tailler de la bonne grandeur, mais de leur donner eau, lumière et nourriture pour qu'ils puissent se développer à leur guise, et ainsi nous serons les témoins de la naissance de quelque chose d'unique!

Je ne suggère pas de ne pas s'impliquer du tout dans le développement de son enfant ni de rester assis sur son steak sans rien dire ou faire, mais j'appuie l'auteure dans l'idée que ces enfants sont remplis de tout ce qu'il leur faut pour réussir. Notre travail est de mettre ces côtés innés de l'enfant en lumière. Et de lui apprendre à aimer ce qu'il est. De ne pas juger, transformer, tordre, remplacer ou diminuer les caractéristiques qui le distinguent. Bien sûr, si la fleur sauvage penche trop, nous savons qu'il lui faudra un tuteur pour se redresser et continuer sa croissance. Mais on ne peut pas changer la couleur de la fleur. Il suffit de rendre hommage à ce que sont nos enfants... avec un petit coup de pouce parental... mais un vrai! Un coup de pouce qui rappelle à la fleur sauvage que, même si elle est unique, elle fait partie d'un grand jardin. Awww! Appelez-moi poète!

Une des caractéristiques de l'amour inconditionnel est la patience. Il faut être patient avec le cheminement de l'enfant. Je sais que nous voulons tout trop vite. Nous voulons que, très jeunes, ils apprennent le plus possible. Nous sommes pressés de les envoyer dans des garderies hyper éducatives où ils apprendront leur langue maternelle en plus du mandarin, de l'hindi et du farsi. Où ils joueront du violon congolais et de la flûte de Pan qu'ils auront fabriqués eux-mêmes, et où ils pourront budgéter leurs prochaines vacances... Et tout ça avant d'entrer à la maternelle! C'est essoufflant pour eux. Les études auraient même démontré que ces minisportifs du cerveau arrivent blasés... dès la première journée d'école! Il me semble qu'avec les années on devrait commencer à entendre que nous sautons une étape importante de leur développement, en ne faisant pas la différence entre le temps de préparation et le temps de performance. Et l'enfance, ou la jeunesse, en est un de préparation. Découvrir lentement. Inventer. Imaginer. NON, ce n'est pas une perte de temps. Mais surtout, il faut cesser de gérer à travers nos enfants notre culpabilité parentale. J'ai fini par comprendre que la culpabilité parentale mal orientée devient une forme d'égoïsme parental. La culpabilité devient un argument pour excuser un mauvais choix de notre part. Et parce que ce sentiment est lourd à porter seul, on va s'en délester en compensant par

CE QU'IL EST EST BON

Mon plus jeune est anxieux. Je crois même que le mot a été créé pour lui. Comme tout bon parent, nous avons expérimenté mille avenues pour tenter de diminuer, de transformer son anxiété. Lui, patiemment, est allé se faire dire à gauche et à droite qu'il devait changer, méditer, respirer, lire, insérer le produit dans le p'tit trou, et quoi encore... Je voyais dans son visage de la bonne volonté et beaucoup de résilience devant la panique de ses parents. Un jour, il me demande si c'est bien grave qu'il soit anxieux. Je lui demande si ça le dérange. Il me répond que non, pas tant que ça. Parfois oui, mais la plupart du temps il peut même en rire. Puis, tout à coup, ça m'a explosé au visage. Il avait l'impression que nous ne l'aimions ou ne l'acceptions pas tel qu'il était!

Et c'est à ce moment, dans mon *mea culpa*, que je lui ai dit que non, ce n'était pas plus grave que ça, que c'était même une de ses qualités. Son visage m'a indiqué que ce sentiment soudain le laissait perplexe. Je lui ai lancé: «As-tu remarqué que, chaque fois que nous partons en voyage, tu penses à tout? Les portes, les lumières, le courrier, la serrure, etc. Et que tu n'oublies rien dans les bagages. Qu'avec toi on est plus organisés. C'est un avantage d'être ce que tu es. Tu pourrais même écrire le guide du bon départ tranquille, auquel les gens se référeraient pour partir en voyage. Ce que tu es est un cadeau. Voyons maintenant comment il pourrait être le plus possible à ton avantage.» Son visage est devenu soulagé! Différent, beau et soulagé! C'était ma façon de lui dire que je l'aime tel quel!

Même chose avec mon deuxième. Nous avons souvent eu des prises de bec à cause de son caractère bouillant. (Encore aujourd'hui! Orgueil, quand tu nous tiens!) Même processus. Nous cherchions la guérison pour qu'il puisse être – disons – moins explosif! Puis cela m'est apparu encore en *flash*... Mon travail n'est pas de le changer, mais de le *coacher* pour qu'il vive avec son caractère, de la bonne façon. Qu'il explose au bon moment, pour les bonnes raisons, avec les bonnes personnes! Un caractère qui n'aime pas l'injustice, la paresse, la plainte gratuite est pour moi un bon caractère qui peut finalement transformer une attitude négative en attitude productive. Et lui, il peut faire ça. Au moment d'écrire ces lignes, il est sous-chef. C'est exactement là qu'un caractère comme le sien prend tout son sens. Il sera un très bon leader. Bruyant... mais bon! Le jour où je lui ai dit que nous allions apprendre à utiliser ce «sale» caractère pour les bonnes raisons, avec les bonnes personnes, il s'est allumé. Une révélation pour lui. Et pour moi aussi! Ce n'était pas un sale caractère, mais son caractère, un caractère. J'avais jugé!

Non, ça ne me plaît pas tous les jours, toute cette énergie, mais désormais, il l'utilise de plus en plus pour les bonnes raisons (enfin!). Et ça, c'est parce que nous lui avons laissé la chance d'être ce qu'il est et parce que nous l'aimons tel quel! Sachez que pour ces deux dernières anecdotes, je ne savais pas du tout ce qu'il fallait faire. D'instinct, parler avec la maman, réfléchir un peu puis prendre une chance. C'est tout. Je n'ai pas de formation spécialisée en éducation. Je ne suis pas un professionnel... je suis papa. Leur papa.

Aimer tel quel est tout un travail, surtout lorsque tous, autour de nous, tentent de nous laisser croire qu'il y a UNE bonne façon et qu'il y a les autres. Comme s'il y avait LA bonne façon de s'habiller, de manger, de parler, de croire, d'agir, de penser, etc. Avec l'enfant, c'est le moment idéal de briser ce cercle infernal du *one size fits all* en tant qu'humain. Non, la vie n'est pas linéaire. Ce n'est pas vrai que si tout le monde fait tout de la même façon, tout ira bien. C'est une série de zigzags. De lignes qui se croisent. C'est un dessin différent d'une personne à l'autre. Sans pour autant penser qu'il faille absolument se démarquer par une personnalité flamboyante. Et là-dessus, je comprends très bien qu'il y ait des gens qui n'aiment pas faire de vagues. Mais tout le monde aime jouer dedans, sinon entendre leur bruit...

C'EST VOTRE PARENTALITÉ...
INVENTEZ-LA !

Vous avez toute la liberté du monde de l'élever comme bon vous semble. L'enfant attend vos décisions, vos mots, vos indications, vos exigences. Et ce n'est pas un examen ! C'est votre rêve à vous, cette famille, alors go ! Ne finissez pas cette étape en restant rêveur ou en n'ayant jamais été en action. Fuyez les « J'aurais donc dû » ! Rappelez-vous votre sentiment lorsque vous vouliez fonder une famille... Cette joie que vous ressentiez. Pourquoi se serait-elle éclipsée tout à coup alors que vous êtes exactement dans votre souhait réalisé ? C'est insensé quand on y pense, non ? Tout le monde dit que la parentalité est un moment qui passe plutôt rapidement en raison de sa nouveauté constante. Et on s'empêcherait d'en profiter à notre façon, à notre goût? La matière première n'est pas chez le voisin. Elle est devant vous, sous la forme de votre enfant. Alors *ENJOY*!

Évidemment, bien des gens vont vous dire qu'eux ont fait ça comme ça et que ç'a donné d'excellents résultats. Ben tant mieux pour eux! On les salue! C'est comme lorsqu'on revient de voyage et qu'on raconte notre périple... Y aura toujours un emmerdeur pour vous demander si vous avez vu telle ou telle chose, car LUI aussi y est allé! Et que LUI a vu LA chose qu'il fallait voir, bien sûr! Et si vous dites non, il est capable de vous faire sentir que vous avez raté votre voyage. Que vous avez manqué le meilleur! Que *touououous* les guides le disent! Que c'est un *must*! Emmerdeur, je vous dis! Fuyez ces gens jaloux de vous voir inventer votre vie! Oui, oui, j'ai dit «jaloux»! *That's it*! La jalousie vient du fait qu'eux n'ont pas pris cette liberté d'inventer leur voyage. Et peut-être, oui, peut-être, auraient-ils aimé être moins tributaires du regard des autres!

Il y a très longtemps, le conférencier Jean-Marc Chaput parlait de saisir l'occasion et racontait que, sur cent personnes, il y en avait deux dans la parade, huit qui regardaient la parade et quatre-vingt-dix qui ignoraient qu'il y avait une parade. C'tu assez clair, ça? Votre enfant attend après vous, pas après l'autre qui emmerde!

Merci, monsieur Chaput!

Je crois que la phrase la plus déstabilisante que je dis en conférence est la suivante: «Vous pouvez réinventer votre parentalité.» Vous pouvez donner la couleur que vous voulez à votre rôle de parent. Vous avez l'entière liberté d'élever, d'éduquer et de parler à votre enfant comme vous le souhaitez. Vous trouvez mes paroles inquiétantes? Elles pourraient l'être si elles étaient entre de mauvaises mains, mais je me fie à votre gros bon sens. L'espace entre ce que nous croyons et ce que nous pouvons faire est immense. Nous pouvons plus que nous le croyons. Nous avons beaucoup de liberté dans les règles familiales et les approches éducatives. Bon Dieu! C'est votre enfant... élevez-le! Comment vous allez le faire, on s'en fout! C'est votre enfant! Ce n'est pas un examen. Personne ne viendra vous noter. Personne n'a acheté de droits officiels pour élever des enfants. On n'a pas à payer des droits d'auteur à personne. Il n'y a pas de formule. Il n'y a pas une seule façon de faire. Mais soyez certain d'une chose: vous serez jugé!

LES GÉRANTS D'ESTRADE

Ils sont parmi nous. Ils sont partout. Ils sont au coin de la rue. Au centre commercial. Dans les grands rassemblements familiaux. Les festivals. Ils nous épient, nous scrutent, nous observent avec un regard plein de mauvaise foi. Ils ne sont pas conscients qu'ils sont jaloux. Ils pensent juste qu'ils ont le devoir social important de nous rappeler qu'il n'y a qu'une seule façon de faire et que nous ne l'avons pas encore... et eux non plus d'ailleurs, mais ils trouvent tellement difficile d'être parents qu'ils ne veulent pas être les seuls à souffrir! Donc ils font exploser leurs doutes sur nos actions et, hop! Ils nous recrutent dans le clan de ceux qui doutent et qui cherchent l'unique ligne droite! Il ne faut pas leur en vouloir, ils ont été élevés à croire que les enfants doivent être rapidement parfaits et tous semblables. Qu'il faut les habiller, les nourrir et les sortir là où il y a tout le monde! Ils n'ont jamais la chance même de pratiquer cela avec eux-mêmes. Ce sont des adultes qui font peut-être comme les autres: s'habiller, se nourrir et sortir là où les autres vont, de façon à ne pas avoir à subir de regards pleins de jugement.

Ce ne sont visiblement pas des gens heureux, alors je ne les juge pas.

Lorsque je les croise après une conférence, par exemple, je sens une sorte d'appel à l'aide qui pourrait ressembler à: «C'est bien beau ce que vous dites, monsieur Larocque, mais c'est pas toujours possible, ce que vous proposez.» Et moi de demander: «Mais pourquoi?» La réponse finit toujours par une variante floue de: «Ben, c'est ça qui est ça!»

On sent que la réflexion en est à ses balbutiements. Puis on va inévitablement me balancer le sempiternel: «Vous savez, c'est pas facile!» Mais je sais profondément qu'ils me disent: «S'il vous plaît, continuez à me convaincre que j'ai le droit, moi aussi, d'être moi!» N'est-ce pas le fondement de toute éducation, prêcher par l'exemple?

QUI A DIT QUE
CE SERAIT FACILE ?

Ce n'est malheureusement plus une fierté aujourd'hui que de s'être dépassé «sans souci de gloire ou de fortune», comme dirait Cyrano. Faire un effort, constater que nous avons bien agi et continuer. Simplement. Eh bien, non! Il semble que, parce qu'il n'y a pas de reconnaissance quelconque, l'effort n'a plus sa raison d'être. Voilà pourquoi l'abandon devant ce qui n'a pas de sens glorieux est si populaire. En abandonnant le plaisir de l'effort, nous avons diminué les exigences et, de surcroît, les efforts devant les obstacles qui se présentaient à nous.

Nous avons cessé de faire ce qui pendant longtemps était normal. On a donc commencé à se faire croire que, parce que nous ne reconnaissons plus les événements, les gestes à avoir, les défis quotidiens normaux, les tâches habituelles à accomplir et surtout les efforts à y mettre, ce sera difficile! «Difficile» voudrait dire que ce ne sera pas fluide, que je devrai chercher au-delà de ce que je sais présentement et qu'en bout de course je n'aurai peut-être pas de médaille, de chèque ou de *like*!

Alors évoquer la difficulté est devenu la soupape pour ne pas faire les choses. Ne pas fournir l'effort. Et même le dire avec un ton un peu plaignard, qui laisse entendre qu'on est déjà fatigué bien avant d'avoir commencé, donne du poids à l'argument de la difficulté. Nous avons collectivement baissé l'échelle de l'effort. Elle se calcule rapidement:

Je ne connais pas = Je trouve ça difficile = Je ne fais pas

Qui a dit qu'être parent allait être facile? Hein? C'est qui, le salaud qui nous a fait croire ça? Si la société des loisirs de Platon était commercialisable, croyez-moi, y a un Américain qui aurait sauté sur l'occasion et en aurait fait un *trademark*, des t-shirts, des boîtes à lunch, des week-ends de formation, des porte-clés et des strings, et ce serait de l'acquis depuis longtemps. Malheureusement, nous n'y sommes pas et nous sommes encore bien loin d'un quotidien permanent sans effort. On tente de croire que tout est facile et sans effort. Cuisiner sans effort, maigrir sans effort, voyager sans effort, élever les enfants sans effort, vieillir sans effort, lève-toi et marche sans effort! Et paf! On se frappe le nez sur la réalité... sans effort!

Mais au-delà de ce constat, tout n'est pas difficile comme le laisse entendre le fameux ton plaignard! «Difficile» est devenu l'argument pour se mentir. On se ment en croyant qu'on ne sera pas capables de faire ledit boulot. Le faire? Bien sûr que nous serons capables. Est-ce que ce sera plus difficile que d'habitude? Peut-être. Impossible? Ça, non!

«Monsieur Larocque, vous savez, élever des enfants, c'est difficile!» Euh... je ne peux que répondre que ça l'est! Et alors? Parce que c'est difficile, nous allons les retourner à l'entrepôt de Baby Depot?

Auparavant, «difficile» annonçait qu'il fallait se remonter les manches et chercher la solution mariée à l'effort. «Difficile» était l'énergie qu'il fallait pour commencer la journée du bon pied.

Je devine que la plus grande déception, et je ne l'entends que trop souvent après mes conférences, ce sont les parents qui disent en ponctuation finale de leurs phrases: «Entoukâ, c'est pas facile!» Et cette ponctuation semble clore toute discussion possible sur les compétences parentales. Elle repousse de la main tout encouragement envisageable. Le parent qui l'utilise veut rester dans le camp de «C'est ça qui est ça». Et dans trente ans, il chantera: «J'aurais donc dû...!»

Que ce soit difficile, soit! Que ce soit surprenant, soit! Que ce soit un changement de mentalité rapide, soit! Mais jamais ça ne devrait être le signal de l'abandon. Ni l'annonce que parce que c'est difficile je vais arrêter de faire l'activité. Que parce que c'est difficile je vais aller me coucher et, demain, tout aura disparu!

Ce sentiment, ce n'est pas la première fois qu'il est vécu par des parents. Comme vous, j'ai eu de ces moments de... surprises! **Et c'est exactement à ces moments que nous avons le choix. Le choix entre subir ou y prendre plaisir!**

SOIS _____ (REMPLIR AVEC VOTRE NOM)

Dans mon cas, le plaisir est arrivé avec : « Sois Martin ! » J'ai volé cette loi dans une grande recherche faite par Gretchen Rubin aux États-Unis dans son magnifique livre *The Happiness Project*. Pour moi, cette première loi est la plus importante, car elle est la loi mère ; celle qui décidera de la couleur du reste de notre journée, de notre parentalité, voire de notre vie. Sois Martin est pour moi – enfin, devrait être – la seule façon de tout aborder dans la vie. Je dois être Martin pour tout ce qui demande une implication personnelle, tout ce qui demande un jugement rapide ou non et tout ce qui demande une opinion. Eh ben, dis donc ? Ce n'est pas loin de l'éducation, ça !

Le parent est parfois appelé à tout ça dans la même heure parfois : s'impliquer, s'engager, avoir du jugement et des opinions...

L'éducation arrive de façon heureuse lorsque sa source est heureuse. L'éducation arrive avec confiance lorsque sa source est confiante. « Sois Martin » veut dire que, si quelqu'un me demande mon avis, il ne veut pas l'avis général de 83 % de la population mondiale, mâles, non-fumeurs, obèses, barbus, poilus... Non. Il veut MON avis ! Ma couleur. Ma réflexion sur la chose. Et le plus beau service que je peux me rendre est de répondre avec ce que je suis et qui je suis. S'il me demande mon avis, c'est que mon avis compte. Que j'en vaux la peine ! Que j'ai une valeur !

Être parent est la même démarche. Si j'ai des enfants, c'est donc que je suis capable de les élever avec ce que je suis et qui je suis.

De deux choses l'une. Premièrement, en devenant parent, je dois faire un ménage énorme dans mon cœur, mon passé et mes bébites. Je ne dis pas qu'il faut être absolument zen comme le dalaï-lama et heureux comme Matthieu Ricard pour être parent, mais je dis qu'il ne faut pas transporter le passé comme un fardeau que je ferai subir à tout le monde. Le passé sert à comprendre, pas à se plaindre ! Certaines personnes traînent leur passé comme un boulet et l'utilisent pour expliquer ce que demain sera! C'est triste de constater que bon nombre de parents tombent dans le piège de dire: «C'est ça qui est ça! Pis ça changera pas.»

La victimisation dont font preuve ces parents est vraiment un dossier à régler au plus cr..., car, comme je l'ai mentionné plus tôt, l'enfant vous copie dans vos moindres coins sombres, et je suis convaincu que vous ne voulez pas lui laisser vos bébites en héritage.

Il faut faire un ménage en soi, mais juste assez pour ne pas tout jeter et croire qu'on ne vaut rien et qu'on n'a rien à donner aux enfants (ce qui est faux en partant puisque vous en avez... ou vous êtes en processus). Juste assez de ménage pour jeter le mauvais, faire de la place à toute notre créativité parentale et garder le bon que la vie nous a donné. Et quels sont ce bon et ce mauvais? À vous de faire *votre* ménage. Soyez confiant, c'est votre parentalité!

Et si vous n'avez pas d'enfant et que vous en souhaitez, ne perdez pas de vue pourquoi vous en voulez. C'est vraiment une belle question à se poser avant d'avoir des enfants. Le quotidien apporte son lot de défis (tous surmontables) qui pourraient parfois vous faire perdre de vue la raison première de votre décision. Les enfants eux-mêmes, avec leurs comportements surprenants, leurs mots déstabilisants et leurs attitudes déconcertantes, pourraient vous laisser croire que le projet n'était pas le meilleur. Que finalement vous auriez dû ouvrir votre buffet chinois sur la Côte d'Azur! Ben non!

Rappelez-vous le projet initial, la motivation première, et dites-vous:

Sois _____ (remplir avec votre nom)!

Je me permets d'ajouter que si vous ne vouliez pas d'enfant et que vous en avez eu pour faire plaisir, ou pour sauver votre couple, ou pour faire plaisir à vos parents harcelants, alors vous faites partie d'une catégorie que je jugerai dans mon édition non censurée. Non, mais vraiment! C'tait quoi, l'idée? Pensez-vous vraiment que cet être allait venir faire un petit tour et repartir à l'entrepôt? C'est vraiment fâchant de voir tous ces enfants arrivés dans des milieux qui ne les souhaitaient pas. Mais il ne sert à rien de chialer plus longtemps... Cet enfant attend après vous! Oui, il attend après vous pour devenir!

Deuxièmement, en devenant parent, si la situation demande un engagement de ma part, je suis capable. Si la situation demande du jugement de ma part, j'en ai. Parce que mon point de départ est: sois Martin!

OK, peut-être que je n'ai pas la même réaction que vous, peut-être que je ne parle pas comme vous. Que je ne dis pas la même chose que vous! Que je n'interviens pas comme à la télé quand le psy Chose me dit que c'est la meilleure façon de faire. Peut-être qu'au moment de mon intervention ça ne me tente pas d'être joyeusement paternel devant sa bourde. Peut-être que ma psychologie positive est en vacances à Cuba? Mais je ne peux être que moi. Je ne peux pas donner plus que ce que je suis, car je vais me diriger vers la faillite parentale si je le fais. Je ne peux pas donner la même réponse que l'autre, parce que la vieille règle de «chasser le naturel» va s'appliquer. Et la prochaine fois que j'interviendrai avec l'enfant, il va être mêlé. Il va chercher dans ses références précédentes et il ne comprendra pas pourquoi papa a dit blanc hier, et noir aujourd'hui. Oh oui! Ça va vous arriver de vous contredire. Mais d'en faire une règle constante... euh, non! Sois _____ (remplir avec votre nom) vous permettra de trouver une certaine constance dans vos réactions. Oh, cette fameuse constance!

Attention! Je ne dis pas de faire la sourde oreille aux mots des autres. Je ne dis pas de bouder les livres. Je ne dis pas de rester fermé aux conseils. Au contraire, ils m'ont aidé plus d'une fois. C'est juste

TROUVE TON OUVRE-BOÎTE !

Voilà une drôle d'expression. Si simple, pourtant. Imaginons que mettre un enfant au monde est comme mettre au monde une boîte de conserve scellée. Il faut l'ouvrir et la mettre en contact avec le monde. L'ouvrir à l'autre, à l'amour, à la religion, à la politique, à l'art, à la musique, à la nourriture, au sport, à la science, au respect, au monde, quoi !

Mais pour ouvrir la conserve, il faut un ouvre-boîte. Plusieurs parents vont aller chez Dollarama et en acheter un à 1,25 $ et ça fait le travail. D'autres vont aller chez Walmart pour voir deux ou trois modèles pas si pires. Tandis que certains vont aller au Centre du rasoir, car ce sont des professionnels et ils vont nous conseiller sur la meilleure lame possible pour faire une belle coupe franche tout autour de la boîte. D'autres parents vont aller dans une boutique très design d'un quartier très huppé pour voir si le designer de l'heure n'a pas fait un ouvre-boîte qui pourrait *matcher* avec leurs rideaux de salon.

Peu importe la quête pour votre ouvre-boîte (et elles sont toutes bonnes), l'idée ici est de trouver le vôtre et d'ouvrir ladite *cacanne*! Elle n'attend que vous. Alors ouvrez-la et soyez fier de... votre ouvre-boîte! Je dis ça parce que bon nombre de parents voient l'ouvre-boîte de l'autre parent et se jugent sur la qualité même de leur outil! C'est une grave erreur de regarder l'ouvre-boîte de l'autre et de se juger. Comme si notre ouvre-boîte n'était pas bon. L'idée ici est d'ouvrir la boîte et de commencer son travail de parent. Même si votre ouvre-boîte est un canif qui déchire le métal de la boîte plutôt que de faire une coupe franche. Je répète ici que l'idée est d'ouvrir la *canne*. La qualité de l'info que vous allez mettre dans la *canne* n'a rien à voir avec l'objet pour l'ouvrir. Oh! On peut emprunter par curiosité l'ouvre-boîte de l'autre en disant: «J'aimerais l'essayer. Si c'est concluant, je vais aller m'en chercher un.»

Mais il ne faut jamais dénigrer son propre ouvre-boîte. Car ce que nous sommes et ce que nous savons sont d'une grande richesse pour NOTRE enfant qui arrive. Gandhi disait: «On ne peut donner que ce que l'on possède réellement et on ne peut enseigner que ce que l'on maîtrise pour soi.»

Toute ma métaphore de l'ouvre-boîte tourne autour de ce que vous possédez pour l'enseigner à votre enfant.

Soyez donc fier de ce que vous possédez! C'est un cadeau inestimable pour votre enfant. Soyez fier de ce que vous savez. Soyez fier de ce qui vous passionne. Soyez fier de vos talents. Soyez fier! Ça, c'est votre ouvre-boîte! Et ne me dites pas que vous ne savez rien et ne valez rien! On sait très bien que c'est faux. Que vous passiez un mauvais moment dans la vie, oh, que je le comprends, demandez-le à ma psy si vous ne me croyez pas. Mais de là à se condamner la veille d'avoir un enfant, alors ça, non!

La fierté apporte la confiance. Mais ça n'arrive pas seul. Plusieurs facteurs influencent notre confiance et je dirais même que cela se bâtit brique par brique. La fierté et la confiance sont une immense structure sur laquelle nous avons une entière liberté de création. Mais il est vrai qu'il y aura quelques moments dans la vie qui pourraient nuire à notre construction personnelle.

J'ai souvent eu la réflexion qu'avant d'avoir des enfants il faudrait se poser quelques questions afin de jauger plusieurs choses, dont la confiance, l'ouverture et l'affirmation de soi. Et j'ai longtemps cru que ces questions devaient être extrêmement personnelles. Justement afin de bâtir qui nous sommes et surtout d'être conscient de notre beau et de notre moins beau parce que, ben oui, on a du moins beau!

Je vous donne ici un petit questionnaire de mon cru qui pourrait vous transporter dans le plaisir (oui, pour moi, c'est un plaisir) de vous poser des questions sur vous-même.

Parce que, quoi que vous pensiez, vous ne laisserez jamais en héritage vos grandes théories sur la vie à vos enfants, mais bien *qui vous êtes* profondément. N'oublions pas, nos enfants nous copient comme des voleurs. Ils copient le noir *et* le blanc!

Voici donc huit questions à se poser avant d'ouvrir officiellement la *canne* (et même une fois ouverte)!

1. Le fais-tu pour toi?

- Veux-tu sauver quelque chose en faisant un enfant?
- Il faut être deux. Est-ce vraiment un projet commun?

- Vois-tu l'autre dans ton couple comme l'autre parent de ton enfant?
- Te sens-tu capable de prendre ta place?

2. As-tu du temps?

- Ça demande beaucoup de présence, le sais-tu?
- Ça donne beaucoup de soucis; es-tu prêt à ce que l'inconnu soit au rendez-vous tous les jours?
- Es-tu un *workaholic* qui se dit «J'vais m'arranger rendu là»?
- Quelle est ta vision de la qualité par rapport à la quantité?

3. Es-tu bien entouré?

- Toi et l'autre futur parent, avez-vous tripé ensemble? Vécu beaucoup?
- Es-tu en amour?
- As-tu un doute sur l'autre?
- As-tu un bon cercle d'amis qui aiment les enfants?

4. Es-tu en colère par rapport à la vie?

- En veux-tu à Dieu et à son père?
- Es-tu une victime?
- Te mens-tu?
- Comment ta colère sort-elle?

5. **As-tu répondu à tes grandes questions?**

   – Pessimiste profond ou optimiste tenace?
   – As-tu peur?
   – As-tu peur de la mort?
   – Aimes-tu ton avenir?

6. **Sais-tu combien ça coûte?**

   – Es-tu prêt à investir pour un autre?
   – As-tu déjà fait un calcul, pour le plaisir, de ce que
     te coûtera la première année?
   – Est-ce que ta vision est *Nothing but the best*?

7. **Et avec tes parents, comment ça va?**

   – Es-tu encore leur enfant?
   – Te voient-ils toujours petit?
   – Seront-ils les «gardiens» officiels?
   – Sont-ils ta première ressource?
   – Veux-tu compenser ce que tu n'as pas eu?

8. **Qu'est-ce que tu souhaites laisser en
   héritage à tes enfants?**

   – Sais-tu que l'éducation est plus dans nos actions
     que dans nos mots?
   – Connais-tu la valeur du regard d'un parent sur
     son enfant?
   – Les laisseras-tu s'inventer eux-mêmes?

- Tiens-tu parole?
- Es-tu heureux?

J'hésite beaucoup entre répondre à chaque question et garder cela comme ça doit être : des pages à méditer. **Il n'y a pas de bonnes ou de mauvaises réponses.** Si vous cherchez tout de suite la bonne réponse ou à répondre la chose que vous pensez que tout le monde veut entendre, ça vous donne un bon indice sur le type d'éducation que vous allez transmettre à vos enfants!

Soyez personnel. Soyez délinquant! Soyez franc! Personne ne lit dans votre tête d'une façon ou d'une autre. Ce n'est pas un examen. C'est une chance inouïe de savoir où vous en êtes dans votre parentalité. Bien des gens trouvent ce genre d'exercice inutile... Et ils ont raison en ce sens que se questionner, c'est un moment dans sa vie. Il ne s'agit pas de passer toute sa vie à se questionner. Il y a une partie où il faut agir... l'enfant attend après vous!

Moi, par contre, je trouve ça le *fun*! Mais avouez qu'il y a là une richesse d'information sur vous dont vous ignoriez l'existence et qui expliquera sûrement quelques comportements ou valeurs que vous aviez sans savoir pourquoi! Et si vous voulez de l'aide pour répondre, il y a une tonne de professionnels qui pourront vous guider. Vous n'êtes jamais seul!

Finalement, l'ouvre-boîte, c'est toutes vos ressources, c'est qui vous êtes, ce que vous croyez. C'est vous!

Et à la fin du questionnaire... posez-vous MA question préférée entre toutes: **Ça vous tente-tu toujours d'avoir un enfant?**

TOUT EST BON
DANS LE COCHON

J'ai volé cette citation dans la chanson de Juliette Noureddine. Elle implique qu'il y a beaucoup d'options dans la vie et qu'elles sont toutes bonnes, même pour un sujet comme l'éducation de nos enfants. (En tenant compte du GBS, bien sûr...)

Je ne sais pas à quel point vous êtes gastronome, mais un cochon se mange du nez au cul. J'ai déjà fait l'expérience de manger une tête de cochon, des yeux à la langue, aux joues, au cerveau... C'était passionnant ! Et délicieux ! Puis il y a le reste du cochon, plus classique, que vous connaissez sûrement.

J'aimerais faire la même analogie avec la pensée. Tout est bon dans la pensée. Vous voulez penser à droite, faites-le. Vous voulez penser à gauche, faites-le. Vous voulez être bleu, rouge, jaune, caca d'oie... soyez-le! Vous voulez élever vos enfants en ville, *go*! Vous voulez élever vos enfants à la campagne, *why not*! Vous voulez habiter dans une yourte, un tipi, un bateau, une ferme... Ouaip, pourquoi pas? Vous voulez partir un an ailleurs, je vous en prie! Vous voulez être carnivore, végétarien, végétalien, crudivoriste, flexitarien... *Be my guest*! Vous voulez élever vos enfants juifs, orthodoxes, musulmans, chrétiens, témoins, mormons, athées... ce sont vos croyances! Quand je vous dis que tout est bon dans le cochon...

Tenez-vous loin des étroits d'esprit qui croient vraiment qu'il n'y a qu'une voie pour vivre. La fermeture d'esprit et l'ignorance sont responsables de bien des guerres! Ne donnons pas à nos jeunes le choix entre la paix et la guerre, mais demandons-leur quelle sorte de paix ils souhaiteraient. Bon, bon, je sonne un peu illuminé, mais je sais que, lorsque viendra le temps de prendre l'enfant et de répondre à ses questions, si vous donnez *la bonne réponse*, elle aura moins de valeur que *votre* réponse. Et rappelez-vous que votre réponse devra avoir été approuvée par vous-même! Puis assumée! Et ce droit qu'est celui de choisir votre réponse existe. Si tout est bon dans le cochon, la pensée est bonne aussi, et votre pensée est incluse là-dedans.

C'est fou parfois comme nous avons de la facilité à penser que nous ne sommes pas inclus dans le projet parce que nous ne nous y connaissons pas assez. Parce que nous n'avons pas de diplôme ou de reconnaissance sur le sujet. Alors, naturellement, on s'exclut de l'équation. On attend. Puis viendra le moment où l'enfant aura vingt ans et vous commencerez la ronde des: «J'aurais donc dû!»

L'enfant attend après vous! Utilisez ce que vous savez. Prenez acte de votre parentalité! Soyez confiant! Vous êtes bon, et votre pensée est bonne. Tout est bon dans l'cochon!

Le reste, c'est juste de l'essai-erreur!

Le plus rassurant dans tout ça est que la vie entière est un processus, une quête. Il n'y a pas de fin pendant la vie. Mais juste des stations de constatation, des haltes routières pour reprendre son souffle. Oh, que oui, vous allez aboutir dans le fossé quelques fois! Ce que vous croyez être la bonne affaire n'est finalement peut-être pas aussi bon que ça. OK! *So what*! On relève ses manches et on rembarque sur la route! C'est tout! Ce n'est pas ce que disent nos maîtresses d'école depuis des lustres? Faire une erreur, ce n'est pas grave, ce qui est grave, c'est de la refaire. Merci, madame Louisette Roy.

JASE !!!

Après une conférence, pendant la période de
questions, un père m'a un jour demandé comment
sa femme et lui pouvaient appliquer la première règle
du « Sois _____ (remplir avec votre nom) »
entièrement. Être entier lui-même, et sa conjointe
aussi. N'y aurait-il pas là une source de conflit potentiel entre deux êtres qui se battent pour être eux-
mêmes totalement? Cela ne fait-il pas l'effet contraire
d'un couple? Un couple devrait faire front commun.
Pas deux « moi, je suis moi entièrement ». Je sentais dans sa voix une saine recherche d'équilibre.
Mais je vous avoue une chose, je fais toujours une
période de questions après la conférence et je suis

fasciné d'abord par la multiplicité des questions. Le large éventail de réalités familiales me surprend et me réjouit. Et je suis même surpris par mes propres réponses qui doivent réagir à ces étonnantes questions tout en appliquant le «sois Martin»! Mais ce jour-là, la réponse m'est apparue comme une illumination sainte, un mot qui s'est imprimé dans mon ciel cérébral, un gros bon sens céleste: JASE!

La base de tout bon couple parental est de jaser. Parler. Échanger. Partager. Oui, oui! Presque «thérapeutiquement». Où en sommes-nous dans nos têtes avec nos enfants? On ne peut pas toujours deviner ce que l'autre pense. Il ne faut SURTOUT pas deviner ce que l'autre pense. D'ailleurs, si vous n'avez pas lu l'ouvrage *Les Quatre Accords toltèques*, ça en vaut la peine, car un des accords dit clairement de ne jamais faire de suppositions dans la vie! Et parce que nous formons une équipe, il est primordial d'avoir des *meetings* au sommet, de partager avec l'autre qui nous sommes et où nous en sommes, et de JASER!

Que voulons-nous de nos enfants? À quelle heure sont-ils couchés, lumière fermée? Que mangent-ils entre les repas? Allocations ou pas? Amis à coucher ou pas? Et si oui, quand? Et si oui, à quelle heure ferme-t-on les lumières? Bien sûr, on ne fait pas tout cela dans une soirée... Sinon il n'y aura plus de temps pour faire l'amour! Mais il est plus qu'important d'avoir ces moments d'échange, pas toujours agréables, mais toujours payants sur le plan familial. Car faire front commun face à notre enfant le rassure beaucoup. Il n'y aura pas de «papa a dit ci» et de «maman a dit ça». C'est mêlant pour un enfant.

J'ai compris que certains nouveaux parents se retrouvaient pour la première fois de leur vie en état de décideurs et qu'ils avaient donc de la difficulté à s'engager. Parce que, tout le temps avant, des mauvaises langues leur ont dit de se taire et de suivre la parade. S'affirmer paraissait inutile, voire prétentieux! **Mais être parent, *c'est* diriger la parade.** OK, ça demande peut-être un entraînement, ce sera peut-être difficile de mettre en mots notre réalité, nos convictions, nos valeurs, puis de les accorder avec celles de l'autre. Mais n'oubliez pas que l'enfant attend après vous... vous deux! Non, je ne vous ai pas oubliés, les «monoparenteux», s'affirmer s'adresse à vous aussi de la même façon, s'affirmer face à soi-même, puis face aux enfants. Y a juste une étape de moins!

Je suis irrité par ces parents qui viennent à tour de rôle me dire que l'autre n'en fait qu'à sa tête. Que, malgré les discussions de parents que vous avez eues, l'autre membre de votre duo s'amuse à faire à sa guise avec les règles et les décisions familiales. Cette attitude enfantine et immature n'aide en rien, de un, l'enfant et, de deux, le couple. Car avant l'enfant, il y avait un couple amoureux qui tripait ensemble. Pourquoi tout à coup, faute de discussion, on laisse aller à la dérive cette dyade qui devrait être un monument d'entente face aux enfants? L'enfant était un projet commun, non? Si la réponse à cette question est non, on a un sérieux problème. Mais si la réponse est oui, alors le travail que demande ce projet n'arrive pas par magie.

Avoir des règles et les maintenir est bien sûr l'idéal parental. Combien de fois avons-nous entendu parler de la sacro-sainte constance dans l'éducation des enfants? Je ne crois pas que cette constance soit possible. Elle peut être un but fort louable et une belle décision de parents consentants, mais puisque nous ne sommes pas que des parents dans la vie et que nous avons plusieurs dimensions, il se pourrait que nous ayons parfois de la difficulté à maintenir une certaine constance dans nos décisions et nos actions parentales. Il se peut que l'autre membre de notre duo, constamment, avec des actions contraires, vienne défaire ce que vous tentez de bâtir parce que: «Oh! C'est trop sévère, finalement, *pôvre p'tit*, j'ai pas le goût de me chicaner. On fait un spécial, OK?

Finalement, *j'suis pus d'accord.*» Et tout ça parce que vous ne voulez pas vous engager dans ce que le poste de parent appelle à faire: mener!

Ne croyez pas que la parentalité apparaît un matin comme un bouton sur le nez. La parentalité est un processus qu'on gosse comme un bout de bois. Et notre gossage s'appelle «jaser». Il y a des contextes pour jaser, mais quand même, voici selon moi quelques règles de base.

1. Jamais dans le feu de l'action.

2. Pas à la maison.

3. Avec pas d'enfant autour. (Ce n'est pas grave, mais ce n'est pas l'idéal.)

Allez sur un banc de parc, au bar, au resto ou marchez dehors. Un terrain neutre est parfait pour jaser sans contrainte de téléphone, de laveuse, d'enfant, de chien, de sonnette de porte et quoi d'autre qui pourrait interrompre un moment si important pour le futur du bonheur parental. Ça demande du temps, du temps et encore du temps de «jasage».

Alors arrêtez dès maintenant de vous nuire en tant que duo essentiel dans l'avènement d'un futur adulte. Cessez de vous frustrer contre l'autre en craignant sans arrêt de constater qu'il ou elle n'aura pas suivi les décisions de votre *team* parents pendant votre absence. Ne vous sentez plus seul au combat en ayant toujours l'impression que vous avez le mauvais rôle. Et s'il vous plaît, cessez de penser à vous seulement, mais pensez à l'enfant ! JASEZ !!!

QUAND T'ÉDUQUES, ÉDUQUE.

Ma plus grande peine ces dernières années est de parler à des parents dépassés. Je les comprends. Je ressens et comprends très bien ce que j'appelle « la surprise ». Surpris de tout ce que l'éducation d'un enfant implique réellement. Oh, que l'on ne s'attendait pas à tout cela ! Oh, que c'est déstabilisant de voir tout ce qu'être parent implique en émotions et en décisions quotidiennes ! Je suis loin d'avoir saisi l'entièreté de la job moi-même, mais je sais et j'ai compris que tout est une question d'engagement. Combien de fois, après des discussions avec des parents, j'ai constaté à quel point ils n'étaient pas entièrement engagés dans leur parentalité, comme s'ils attendaient encore le signal de départ.

Comme si l'archange Gabriel allait se pointer dans la porte-fenêtre et dire: «*Go!* Vous pouvez commencer à l'élever.» J'ai souvent eu le goût de prendre une voix de *coach* de football américain ou d'entraîneur de G.I. américains et de crier: «ENGAGE-TOI! PRENDS TON RÔLE À BRAS-LE-CORPS! C'EST LE TIEN! C'EST TOI QUI *CALLES* LES *SHOTS*. *GO! GO! GO!* **TON ENFANT ATTEND APRÈS TOI!**»

Oui c'est surtout ça, la motivation: l'enfant attend après vous. Il attend vos décisions, vos indications, votre *coaching*, vos conséquences, l'apprentissage de la victoire et de l'échec. Il attend que quelqu'un lui dise oui ou non... surtout non!

Voulez-vous une opinion très personnelle? L'enfant se fout de votre combat intérieur, de votre culpabilité et de quelle façon vous calculez le temps. Il veut quelqu'un qui est présent au combat. C'est-à-dire que, lorsqu'il y a un geste parental à faire, ce n'est pas le temps de se mettre à réviser sa propre enfance et de passer à travers le catalogue des trucs des autres (même s'il y a là une belle source d'inspiration). Il vous veut maintenant! Ce qui veut dire que, même si votre décision n'est pas la meilleure, la plus professionnelle et, j'ose le dire, la plus réfléchie, il s'en fout... C'est la vôtre et c'est là qu'elle prend toute sa force et son sens dans sa vie. Votre décision peut avec le temps et l'expérience changer... ou pas! Ce que nous cherchons ici, c'est votre style de parentalité à vous. Votre couleur. Votre façon bien personnelle d'être papa ou maman. Ce style sera votre gage de succès auprès de vous-même, puis de votre enfant.

Cependant, il y a un piège. D'abord, nous devons faire attention au laisser-aller total de la part de certains parents. Ceux qui ne s'engagent pas du tout dans leur rôle, ceux qui négligent, ceux qui laissent tout aller, ceux qui pensent qu'élever un enfant est totalement et exclusivement organique et que l'enfant devra deviner ce qui est bon et mauvais. On connaît le risque de ce type d'éducation lorsqu'on vit dans une société.

À l'autre bout du spectre, il y a les hyperparents, les parents-hélicoptères, les parents-curling: ceux qui sont tellement omniprésents qu'ils laissent à l'enfant l'impression qu'il ne pourra jamais y arriver sans eux, qui l'élèvent comme s'il était leur vitrine sociale et qui ont oublié qu'il doit parfois essayer seul et si possible échouer quelques fois, et que c'est une bonne chose. Qui ont oublié qu'il explorera le monde au travers différents comportements qui ne ressembleront en rien à ce que les parents sont! N'avez-vous jamais été faire l'épicerie avec Spiderman ou Batman? Ces parents ont oublié que l'enfant a quand même droit à une part de création dans sa vie. Il vient au monde avec un peu d'inné quand même! J'ai bien dit une part. Mais il y a de ces parents qui ne sont pas capables de vivre avec le moindre regard d'autrui qui pourrait sembler dire: «Humm... Moi, je n'aurais pas fait ça comme ça!» ou de ces parents qui vont prendre leur vie comme un échec et seront déçus de leur enfant si celui-ci ne devient pas ce qu'ils avaient planifié pour lui, même s'il est très satisfait. Ce type de parent est tout aussi inquiétant. Un jour, dans vos moments libres, je vous invite à lire *Manifeste pour une enfance heureuse*, de Carl Honoré. J'en suis sorti bouleversé, ravi, confiant et plus vivant que jamais!

Merci, monsieur Honoré.

Alors il est essentiel que vous développiez votre style de parent... Vous devez tenir compte de quelques facteurs: la société et ses règles, vos valeurs réelles, et d'abord et avant tout l'enfant lui-même.

La société est souvent prise comme souffre-douleur. Combien de fois, après une conférence, les gens viennent expliquer leur problème en me disant: «Mais vous savez, la société est comme ça.»

Et voilà! Ça clôt la discussion. Pas possible d'argumenter davantage, pas possible d'ajouter plus. C'est ça qui est ça! Et chaque fois, j'ai le même réflexe de dire que je suis la société aussi et que je ne suis pas comme ils viennent tout juste de me la décrire et que je n'y crois pas parce que je ne m'affiche pas du tout comme ça. Que la société, c'est aussi lui et moi, et elle deviendra ce que nous en ferons à partir de maintenant. Mais voyez-vous, l'attitude un peu trop «c'est ça qui est ça, pis la société est d'même» me met hors de moi. Beaucoup trop de parents dans cet état d'esprit pensent à ce moment-là qu'ils n'ont pas de place pour montrer leur valeur. Qu'ils ne sont pas assez forts pour... pour... pour être eux-mêmes! À mon avis, la seule chose que la société demande, c'est: «Contribue! Donne-moi du toi! Sois Toi avec Nous!» Là, on a une belle société.

Avec l'enfant, c'est le même engagement. Il vous veut, «vous», avec tout ce que vous transportez d'expériences et de valeurs. Il veut un phare qui le guidera. Non pas quelqu'un qui le tiendra dans ses bras pour traverser la rue ou qui lui sortira ses vêtements de son placard pour qu'il s'habille, ou qui portera son sac d'école, ou qui répondra aux questions à sa place lorsqu'un étranger lui parlera, ou qui le bombardera de questions au retour de l'école, ou qui le prendra en pitié parce qu'il est trop jeune (c'est fou comme un enfant reste jeune longtemps dans le regard de certains parents...!). Non, il veut un parent qui croit en lui. Mais la meilleure façon de croire en l'enfant est de croire en nous d'abord. De savoir que, même si nous n'avons aucune idée de ce qui s'en vient, nous serons capables de mener le bateau à bon port... malgré le brouillard. Eh oui! Vous serez capable! Mais engagez-vous dans votre rôle de parent!

Engagez-vous à découvrir tous les jours les différentes couleurs du rôle de parent. Engagez-vous à vous faire confiance! Oui, vous faire confiance! Ne décrochez pas du livre à cette phrase. Faites-vous confiance! Je ne demande pas de résultats précis (personne n'en demande), je ne vous connais pas. Je ne connais pas votre enfant. Vous le connaissez. Vous savez de plus en plus qui il est... Mais engagez-vous à être ce phare, celui qu'il regardera avec admiration. Celui dont on espère la lumière, l'inspiration. Pas le donneur de réponses et surtout pas celui qui fait tout à sa place; ce n'est pas de l'amour, c'est un manque de confiance en soi et donc en lui.

Selon une recherche faite à l'université Baldwin Wallace en Ohio, les enfants montrent beaucoup moins de créativité et de plaisir lorsque les parents s'impliquent trop dans leurs jeux. L'enfant apprend plus à jouer librement que de façon dirigée. Il créera beaucoup plus que si le parent propose.

Oh, que j'aurais aimé savoir ça avant! Moi, si les enfants m'invitaient à la salle de jeu, je devenais le *foreman* de la place: «OK, les enfants, on va construire ça et ça, pis on va mettre ça là et...» pour me rendre compte beaucoup trop tard que j'étais le seul à avoir du plaisir. J'ai compris un peu tard à mon goût que tout ce qu'ils voulaient était que je les regarde. Que je sois là physiquement et que j'avais le droit à un nombre de questions très limitées, du genre: «Qu'est-ce que tu fais?» Voilà le répertoire de questions qui me gardaient dans le rang du papa qui ne *scrape* pas toute la séance de jeu!

Je me rappelle – avec une certaine gêne – que lorsque les enfants m'appelaient dans la salle de jeu, ou dans le capharnaüm de jeu devrais-je dire, je me mettais aussitôt à tout classer, ranger, ordonner pour que MA séance de jeu soit agréable. Si je me rappelle bien, je classais les Lego en ordre de grandeur et par couleurs, pensant vraiment que MA technique allait augmenter l'indice de bonheur dans la salle de jeu. Vous auriez dû voir – et je m'en souviens avec encore une petite peine – le regard éteint de mes enfants.

Voilà un bon exemple de trop s'impliquer. Intéressez-vous à ce qu'ils font. Ne jugez pas. Posez des questions extrêmement ouvertes! Évitez de mettre vos mots sur leur création ou leur jeu. Mais s'il vous plaît, soyez là!

Un autre beau piège dans le mode d'en faire trop avec ses enfants vient beaucoup de notre crainte qu'ils ne sachent pas qu'ils sont bons. Ce qui donne la fameuse surenchère de compliments, de bons mots et d'encouragement excessif! Le besoin parental de dire à nos enfants combien ils sont merveilleux est parfois beaucoup trop personnel. Et je vous entends réagir vivement ici en plissant les yeux: «Oui, mais c'est quoi le mal à dire du bien?» Normalement, cela devrait être une belle et bonne chose. *Maiaiaiaiaiaiais* non! Encore une fois, le juste équilibre est de mise. Ne capotez pas avec les compliments. Oui, ça fait du bien, mais ça crée une terrible dépendance chez l'enfant, aux mots de l'autre, à son regard. On constate plusieurs réactions négatives à trop complimenter les enfants.

Primo, ils en deviennent dépendants comme dans toutes les dépendances existantes et contre lesquelles on se bat à coups de AA, NA et toutes leurs petites sœurs... On s'est fait croire que les compliments donnaient un regain de confiance et d'estime, mais, selon plusieurs études, l'excès a l'effet d'une drogue. C'est bon pendant une courte période, mais l'enfant a vite besoin d'en recevoir plus pour trouver un sens à ce qu'il fait. Il dépendra donc de ces compliments pour continuer ou pour arrêter. Il va mesurer sa créativité et son talent non pas à son plaisir et à ses goûts, mais au goût de ses parents. Et on sait très bien que parfois on dit « oui, oui, c'est beau ! » sans vraiment avoir pris le temps d'observer. L'enfant vient juste chercher sa dose, puis repart drogué. Et l'effet pervers de cela sera que son insécurité, par rapport à sa valeur et à son talent, augmentera.

Deuzio, les études ont même été jusqu'à dire que « Bravo, beau travail » n'était pas une bonne façon de faire les choses, car c'est un jugement. Oui, je sais que c'est positif et je suis d'accord avec vous, mais ça reste un jugement qui empêche l'enfant de décider par lui-même si c'est du beau travail. J'écris ces lignes, et mon cœur de père trouve ça difficile. Je comprends le poids du jugement, mais attendez, y a pire ! De constamment louanger ses actions artistiques ou autres le garde en mouvement dans cette activité. Enlevez les compliments parentaux, et l'enfant n'aura plus aucun intérêt dans l'activité. Souvent, l'enfant laisse tomber l'activité s'il n'y a personne autour pour le complimenter à chaque coup de crayon. Le but n'est plus de lire, de penser, de créer, mais d'attendre le compliment comme un bonbon sucré... trop sucré !

Bon, ne virons pas fous avec ces études, mais réfléchissons et analysons, voulez-vous bien? D'abord, le plus difficile et le plus cruel, mais tellement essentiel et important à long terme, est de ne pas se garrocher à chaque action et *pitcher* des compliments en pleine face parce qu'il a lacé son soulier ou fait son lit comme tous les matins, ou qu'il a fait un simple dessin. Ce ne sont pas tous des Picasso, et c'est très bien comme ça. S'il fait le fameux dessin, qu'il vous l'apporte avec l'espoir de se faire dire qu'il est le meilleur, intéressez-vous plutôt au gribouillis. Questionnez-le sur son œuvre – qui finira sûrement dans le bac de récupération dans quatre ans. Mais posez des questions et taisez votre jugement. On s'en fout! Demandez-lui ce que c'est, pourquoi cette ligne-là, pourquoi ces couleurs-là, et c'est tout. Puis regardez comme il prendra lui-même encore plus d'intérêt pour son propre travail. Si le bonhomme est fâché sur le dessin, dites: «Oh! Il a l'air vraiment fâché! Pourquoi est-il fâché?» Et voilà! Votre mini-Picasso pourra continuer librement son activité sans jugement et sans conseil qui seraient, ma foi, tout à fait inutiles dans ce cas-ci! Nous avons toute une génération d'enfants partisans des compliments et du non-effort, car nous avons eu la gâchette rapide avec le «Oui, oui, c'est beau».

Vous aurez compris que c'est plus de travail pour un parent. Beaucoup plus, car ça demande du temps. Intéressez-vous au travail de l'enfant ! Et non, ne faites rien d'autre pendant ces trente secondes ! L'enfant retournera à son activité avec une dose de confiance créée par lui-même... grâce à vous ! Ne voyez pas cela à court terme. Un enfant, c'est un investissement à long terme. Faites-lui confiance !

RÉPÈTE

Pour que la confiance arrive, il y a cette étape que tout parent veut fuir comme si c'était un mauvais sort sur notre rôle, ou pire, une visite impromptue pendant notre seul jour de congé faite par des gens finalement qu'on ne veut surtout pas voir ! L'action parentale qui décourage, mais qui pourtant est la base de toute éducation : répéter. Nous avons tous dit mille fois dans notre vie avec un petit fond de déception : « Ça fait mille fois que je te le dis ! » On se laisse la bizarre impression que c'est une chose qu'on aurait pu éviter si notre enfant avait été « normal et intelligent ». Pourtant, la répétition des demandes, des règles et des mises en garde fait partie intégrante du «nous» parents. Répéter, c'est comme faire les repas. C'est à refaire souvent. Régulièrement. Constamment. Croire qu'un jour nous allons cessez de répéter est comme espérer un panier à linge sale vide! Impossible!

Rappelez-vous que cet enfant... c'est sa première vie. Il est nouveau dans l'équipe. Vous, vous êtes le *coach* en chef. Alors il faut entraîner votre joueur. Il va faire, oublier, se tromper, recommencer, chialer, abandonner, bougonner. Mais vous, vous savez qu'il y a un grand tournoi à la fin de l'année et que votre enfant peut gagner. Alors vous recommencez sans cesse les explications des règles du jeu. Vous ne pouvez pas jouer à sa place. Mais oui, vous allez répéter beaucoup. Vous allez lui faire répéter les mêmes gestes afin de bien posséder la technique du sport. Dans ce cas, n'hésitez pas, répétez jusqu'à ce que l'enfant possède la technique. Et pensez surtout à long terme. Oui, c'est chiant sur le coup de sentir que ça ne sert à rien, mais sachez que votre athlète est juste dans sa période de préparation. Il n'est pas en compétition encore. Et parfois, je sens que s'ils nous font répéter, quelque part, c'est qu'ils veulent être rassurés et savoir qu'ils sont sur la bonne voie.

à votre santé! Avez-vous déjà pensé au nombre de décisions que vous prenez pendant une journée avec les enfants? Au nombre de fois où vous êtes sollicité et où vous devez réagir avec un mélange de spontanéité et de sagesse? Avez-vous déjà fait le calcul dans une semaine de tous ces moments où vous avez été placé devant l'inconnu? Et ça, c'est juste à la maison avec des enfants. Je ne parle pas en plus du travail et des relations et de quoi et de qui encore. C'est faramineux. Et vous allez me faire croire que ça ne vaut pas, une fois par semaine, une petite heure pour lever votre *drink* préféré et vous féliciter? Qui le fera, sinon?

Et repoussez-moi toute cette fausse humilité de «Je ne fais que mon devoir». Tant mieux si c'est vu comme un devoir – et vraiment tant mieux –, mais ce n'est pas une raison pour le mettre dans la liste des acquis quotidiens comme respirer et rire de sa belle-mère! Vous devez impérativement trouver ce qui vous réjouit au plus haut point et en abuser (!) pendant au moins une heure par semaine. Une heure, ce n'est pas beaucoup sur la somme de votre implication parentale. Si implication parentale il y a eu.

Si vous êtes resté assis sur votre steak toute la semaine à vous plaindre que c'est pas facile, la vie... Ben sautez une semaine de réjouissance. Vous avez perdu votre temps, et les enfants attendent après vous tout ce temps-là. Comme dirait mon fils : *FAIL !*

Maintenant, une mise en garde amicale : attention à tous ceux qui souffrent d'une dépendance quelconque à l'alcool. Prenez le soin d'adapter cette idée. Comme je le disais plus tôt, célébrez à votre façon. Ce moment de bonheur peut être de la nourriture, une visite au musée, au cinéma, des bonbons, rire du voisin ; ce que vous voulez qui vous rend si heureux.

DU TEMPS DE SOLITUDE SEUL

Vous savez à quel point ça va vite, parfois, la vie sans enfant. Ça va tellement vite qu'on dirait que le jour du loyer arrive chaque semaine. Cette rapidité décuple avec l'arrivée des enfants. La vie de famille passe comme une tornade... lorsqu'on ne prend pas le temps de s'en rendre compte.

Lorsqu'on reste là, comme un serviteur impuissant devant les mille demandes, bonnes et mauvaises, des enfants, on ne prend jamais le temps de constater où tout cela est rendu. Où tout cela nous mène. Ce que nous sommes devenus. Qui nous sommes devenus. Parce qu'il n'est pas vrai que nous sommes entièrement la même personne avant les enfants qu'avec eux. Subtilement, nous nous transformons au gré des surprises familiales. Nous changeons nos façons de voir la vie, le quotidien: le lavage, la nourriture, la communauté, etc. Bref, tout se transforme. Et c'est normal. Mais pour des raisons que je n'aime pas, nous ne nous arrêtons jamais pour évaluer où nous en sommes avec nous-même. Pas avec les autres... avec nous-même. Parce que si nous ne nous reconnaissons pas, comment voulons-nous reconnaître les autres? Oui, je sais que c'est excessivement philosophique – ne vous en faites pas, j'beurre moins épais ailleurs dans le livre, mais cette idée-là, j'y tiens beaucoup. Ce n'est pas pour rien que je suis devenu conférencier pour les parents; c'est pour donner (et prendre) une pause dans ce maelström familial.

Le savez-vous, qui vous êtes, là, là, là? Et où en êtes-vous rendu avec votre vision des choses? Je suis d'accord, ce n'est pas tout le monde qui a le goût de s'arrêter et de réfléchir à soi – même si je prêche cette action plus que tout. Il y a des gens qui sont beaucoup plus dans l'action que dans la réflexion, et leur instinct en est plus aiguisé. Mais, parfois, ces mêmes personnes qui vivent à toute allure sont celles qui vont le plus souvent me confier: «Maudit que ça passe vite... J'ai rien vu!»

Voilà pourquoi je crois qu'il faut prendre le temps de voir qui nous sommes, dans la solitude et le silence. Oui, oui! Une forme de méditation. Un moment en dehors de la maison. Et je ne rigole pas avec l'idée de le faire SEUL et loin de la maison. Je vous entends me dire qu'à la maison vous avez parfois de beaux moments seul et, moi, je vous réponds: «OK, mais ce n'est pas assez.» Loin de la maison, c'est loin des possibilités d'une intervention familiale soudaine. Comme être loin du lavage, du téléphone, des choses à ramasser, des amis qui pourraient débarquer par hasard et, surtout, loin du potentiel ménage du garde-robe parce-que-j'ai-du-temps-pis-j'aime-pas-le-silence-dans-ma-tête! Bref, loin de tout ce qui vous tient en dehors de vous-même.

«Oui mais, monsieur Larocque, je n'ai pas besoin de ça pour être heureux!» OK! Je vous entends. Mais, moi, je ne pense pas à court terme, je pense toujours à long terme. Parce que les changements s'accumulent et ont un grand besoin de validation. Et la validation de qui nous sommes devenus ne viendra de personne d'autre que de nous, et nous pouvons difficilement nous la donner si nous ne nous arrêtons pas pour en prendre conscience. Beaucoup de grands penseurs en développement personnel vous diront que le plus grand besoin d'une personne est la validation. Y a pas grand monde qui va prendre cinq minutes pour vous mettre la main sur l'épaule et vous dire : «*Good job!*» Alors il faut que vous preniez régulièrement du temps de solitude seul loin de tout bip-bip existant pour vous mettre en état de relaxation et constater où vous en êtes.

Je ne dis pas de marcher le chemin de Compostelle aller-retour à genoux ou de partir sept ans au Tibet pour apprendre à léviter! Je ne dis pas que vous allez revenir et que vous aurez compris la vie. Je ne vous demande pas non plus de revenir la tête rasée et enveloppé d'un drap en agitant de l'encens. Parce que si vous pensez faire le ménage radical de toutes vos zones d'ombre et de finir le grand tour de qui vous êtes, vous allez peut-être partir plus longtemps que vous ne le pensiez. Non. Juste constater ce qui a bougé et quelle est la nouvelle couleur dans votre répertoire émotif parental et amoureux. Ce que je vous propose est vraiment simple et nécessaire. Je dis de vous isoler dans un chalet, un camping, un *B & B* et de prendre un peu de temps à juste rien faire. Laissez le silence faire son travail. J'insiste, car je suis convaincu que ça évitera ce que j'entends trop souvent de vieux parents : «Ç'a passé trop vite, j'aurais dû être plus là... pour moi!»

«Oui mais, monsieur Larocque, j'ai peur du silence.» Ben justement. Il faut lui faire confiance. Il faut l'apprivoiser. Le silence vous parle beaucoup! Je dirais même que le silence est mémère. Il vous donnera des indices sur qui vous êtes. Et où vous êtes rendu. C'est un cadeau à se faire pour soi, et tout le monde en profitera: autant votre partenaire que vos enfants! Oui, vous en saurez plus sur vous, et comme dirait Maya Angelou: «*When you know better, you do better.*»

Et je vous en supplie, ne pensez pas que vous ne le méritez pas! Ce n'est pas du luxe ou de l'égoïsme. Oui, peu importe ce qu'on vous dit, vous en valez la peine. Point. C'est une belle grande forme d'amour. Et si on s'aime bien... on aime mieux les autres! Il y a deux, trois penseurs qui m'inspirent ce petit chapitre hautement philosophique. D'abord, un grand surfeur disait que la meilleure façon de connaître le terrain aquatique sur lequel il allait surfer était d'attendre que l'eau soit totalement calme pour en connaître le fond. L'humain est pareil (il est fait en majorité d'eau en plus). En anglais, ça se dit: «*BE STILL.*» Ne plus bouger et laisser les eaux troubles se calmer, ainsi vous saurez un peu plus où vous en êtes au fond. Et sous un autre angle, Gandhi disait: «On ne part pas faire la paix si notre cœur est en guerre!»

BELLE GROSSE FINALE QUI RÉCAPITULE L'ESSENTIEL

Une chose est sûre, ma paternité se transforme avec l'avènement de l'âge adulte chez mes gars. Tous les acquis et les certitudes, étonnamment, sont remis en question. Par exemple, notre leadership autoritaire avec les jeunes enfants devient de plus en plus une discussion avec les jeunes adultes presque majeurs. Oh oui, je l'avoue, c'est plus facile lorsqu'on est tout en contrôle, voire un peu général d'armée! Ben oui!

Mais la chance qu'un parent a aujourd'hui pour bien orienter, guider et inspirer ses jeunes enfants est extraordinaire. Cette chance existe plus difficilement avec des «bientôt» jeunes adultes. Le pouvoir de l'intervention de type: «Si tu ne fais pas ta chambre, tu ne sortiras pas ce soir!» perd de sa force avec le temps. Et j'écris cela en souriant!

Pour un parent, l'adolescence et le début de l'adulescence, c'est presque une autre sorte de travail, d'éducation. Celui de s'assurer de créer un contact, une relation, un dialogue. Pas dans le but d'avoir raison, mais dans le but de poursuivre le travail de guide amorcé dans la petite enfance. L'image la plus simple que j'ai est celle du parent qui conduit la voiture. Lorsque les enfants sont en bas âge et s'assoient sur la banquette arrière, nous sommes en contrôle. On décide de tout: de la vitesse, de la température, des lois qu'on transgresse au volant et même de la musique si on veut bien. Mais y a un âge où ils apprennent à conduire et ils veulent, voire ils doivent, conduire pour s'entraîner, et vous, vous êtes maintenant l'adulte côté passager. Plus aucun contrôle. Juste des conseils et des sueurs. Impossible de prendre le volant pendant que votre enfant conduit. On ne peut plus freiner ni accélérer. La capacité de dialogue et de relation prend tout son sens. Vous pouvez toujours choisir de ne pas lui prêter votre voiture, mais à quoi bon? Je peux me mettre au volant et faire une *master class*... Mais encore une fois, à quoi bon? Comment apprendra-t-il vraiment? Peut-être qu'il n'est pas un grand conducteur encore, mais l'expérience ne s'enseigne pas. Au volant de la voiture ou au volant de sa vie, y a un bout où je n'en aurai plus la maîtrise. Je me dois d'être de bon conseil, d'être un phare d'inspiration, et non celui qui dirige tout et qui, de façon despotique, lui dicte sa vie.

Je sens très bien que, dans ma vie de parent, il y a un temps qui commence doucement : celui de se taire et de constater si mon travail des premières années a été efficace. Je crois que j'ai tout donné durant l'enfance et l'adolescence, et là, je dois, en toute humilité, constater les failles et les oublis, les succès et les bons coups. N'entendez pas que je ne lèverai plus le petit doigt et que je les laisserai se casser la gueule sans rien faire en disant que ma job est finie... Non, ma job n'est pas finie. Elle est juste différente, mais vraiment différente. Parce que c'est un fait, ça arrive vraiment vite ! Et c'est à ce moment que l'expression « amour inconditionnel » prend une nouvelle teinte.

Profitez de la petite enfance. Jouez votre rôle, même si vous ne savez pas ce qu'il est réellement. Ce n'est pas un examen. C'est juste vous et vos enfants. Vous ne pouvez pas échouer. Vous ne pouvez pas rater votre coup. Vous ne serez pas jugé aux portes du paradis par saint Pierre qui vous dira : « Hummm... Tu n'as pas passé ton examen parental. » De toute façon, qu'est-ce que saint Pierre connaît à l'éducation ? Oui, il y a des regards qui se tournent vers nous à chaque geste parental que nous faisons en public. Chaque parole de réprimande entendue par d'autres personnes est jugée, analysée, et nous faisons peut-être même partie d'un de leurs soupers d'amis sous la rubrique «J'ai vu un père à matin... une espèce de fou qui a dit à son enfant...» Et pourtant, les fous que nous sommes faisons juste de notre mieux!

Soyez le parent que vous avez le goût d'être. Parce que même dans ce magnifique univers de parents, si vous essayez de faire comme tout le monde et de faire «comme il faut», vous ne saurez jamais à quel point vous êtes **un parent merveilleux. Parce que vous l'êtes.**

Cessons cette course à faire les choses comme il le faut ou comme il se doit. Aux parents, je pose toujours la même question qui se résume à: bien faire selon qui? C'est qui le salaud qui a implanté dans la tête des parents qu'il y a la bonne et la mauvaise façon? ÉVIDEMMENT, je ne parle pas de ceux qui maltraitent, violentent, battent les enfants. Mais ce n'est pas, Dieu merci, la majorité des parents qui dérapent dans l'excès. Déjà trop peut-être, mais pas la majorité.

Vos enfants ne seront pas élevés et éduqués par
les tonnes de théories écrites, le gars à télé, les

conférenciers (*sic!*), mais bien par vous, QUI VOUS ÊTES, vous et votre instinct! Alors *go*! Vos enfants attendent après vous!

Il est fou de penser que tout commence à l'adolescence. Que l'éducation se règle dans une fin de semaine et dans un grand discours... Loin de là! C'est un processus. Et ça commence avant d'avoir des enfants. Parfois, lorsque vient le temps d'intervenir auprès de ses jeunes enfants, on fait taire notre instinct et on ne se fait plus confiance. On a peur d'être moins aimé par eux. Puis on se réveille, ils ont seize, dix-sept ou dix-huit ans, et on voit ce qui aurait pu être fait avant. L'autorité n'est pas l'ennemi du plaisir ou de l'amour.

Si on prend comme hypothèse que tout est un processus, il n'est pas difficile de comprendre que les résultats de notre éducation seront plus concluants si la base est donnée. Si la base est solide. La base veut dire s'assurer de deux choses.

1. Que tout a été dit à temps et que les interventions ont été faites au bon moment. Toujours à notre connaissance et en suivant notre instinct. Pour que, quand vos enfants seront adolescents, la surprise ne soit pas trop grande. Entendons-nous, les ados seront toujours surprenants, c'est vraiment une surprise qui

déstabilise *bôôôôôcoup*. Collectivement, on laisse l'impression que ce sera épouvantable, l'enfer, et quoi encore. Ce sont juste de jeunes adultes qui se cherchent. Je sais très bien qu'il y a des cas lourds. Je sais. Je sais qu'il y a des cas qui vont nous échapper. Qui a dit que la vie était juste? Mais si on donne tout et qu'on pense le plus possible à long terme... Je suis plutôt optimiste!

2. Avoir confiance en nous. S'assurer que nos valeurs, nos blessures, nos bogues, nos peines, nos peurs et nos grandes inquiétudes ont été visités avant de nous lancer dans le merveilleux monde de la parentalité (et même pendant). Car peu importe vos grands discours sur l'éducation que vous allez transmettre à vos jeunes, ils ne les écouteront pas vraiment. Oh non! Mais ils vont vous regarder vivre, être, aimer, agir, décider... Et ça, ce sera le vrai héritage que vous allez leur laisser. Qu'on le veuille ou non. Soyez *vous*! Vous êtes un bon parent!

Ça, c'est ce que je sais pour le moment...

C'EST PAS BEN BEN COMPLIQUÉ

Être parent, c'est être :

- *coach*, mentor inspirant, directif, exigeant, aimant, soignant.

Être parent, ce n'est pas être :

- domestique, majordome, personnel, employé, professionnel du ménage, porteur, despote.

NOTA BENE

Mon éditrice était ferme là-dessus : «Toutes les citations, études, lectures, noms que tu mentionnes, j'ai besoin des références exactes!» Le ton de mon éditrice était non négociable. Mais vous savez, je note tout partout depuis 1986 : dans des cahiers, sur des cartons, je découpe des extraits que je colle dans mes différents journaux. Parfois juste l'extrait qui me semblait si percutant. Parfois, j'enregistre l'extrait entendu et je le retranscris.

Bref, avec toutes ces notes, citations, études si importantes et essentielles à ma pensée, je ne pouvais pas les laisser dans les cahiers et les boîtes! Oh non! Pour la première fois en plus de trente ans, j'écris un livre avec le fruit de mes recherches. Donc pas question que je ne m'inspire pas de tout ce qui m'a inspiré depuis le début de ce processus. Alors à tous les auteurs, chercheurs, penseurs qui se sont reconnus... Merci !

Si j'ai la référence, je me ferai un devoir de l'inscrire. Mais si je vous ai laissés dans l'ombre, au moins, vos propos si éloquents et enrichissants pour la vie des parents seront mis en lumière. J'espère que mon éditrice lira cette note !

REMERCIEMENTS

Merci aux Éditions du Trécarré d'avoir tenu parole! En 2004, au Salon du livre de Montréal, je présentais la maison d'édition que j'avais cofondée, les Éditions de la Bagnole. Après m'avoir vu participer à une table ronde sur la famille, vous êtes venu me rencontrer en me proposant de publier mes réflexions, qu'il vous tardait de lire. Quatorze ans plus tard, voici mes réflexions! Tout un processus. Vous avez tenu parole! Merci!

Merci aux parents qui, de près et de très près, ont contribué à nourrir mon travail. Merci de vous être déplacés le soir pour venir entendre un conférencier pendant vos semaines tant occupées. J'en suis grandement reconnaissant... et ce n'est pas fini !

Merci à tous ces sages, penseurs, sociologues, philosophes, mentors, professeurs, éducateurs et chercheurs qui ont accepté de me rencontrer, de me guider, de m'enseigner. Merci d'avoir répondu à mes mille questions. Je n'ai peut-être pas de diplôme dans le domaine, mais j'ai vos noms dans mon cœur.

Merci, Jean Cossette... je n'ai jamais eu le temps de te le dire devant nos trop rares gin-tonics. Tu le sais que c'est toi qui as parti la machine. Repose en paix !

Merci à ma nouvelle gang d'édition, patiente Nadine en tête. Je te l'avais dit que je parlais beaucoup. Tu l'auras voulu... j'ai encore des choses à dire !

Marie, mon épouse ! Je carbure à ta folie, ton charme, ta patience, ta beauté, tes fesses. Je sais maintenant de qui le soleil s'inspire !

f Restez à l'affût des titres à paraître
chez Trécarré en suivant Groupe Librex :
facebook.com/groupelibrex

edtrecarre.com

Cet ouvrage a été composé en FreightText Pro 11/14,75 et achevé d'imprimer
en février 2019 sur les presses de Marquis imprimeur, Québec, Canada.

Imprimé sur du papier 100% postconsommation,
fabriqué avec un procédé sans chlore et à partir d'énergie biogaz.
Il est certifié FSC®, Rainforest Alliance[MC] et Garant des forêts intactes[MC].